リベラルアーツと外国語

リベラルアーツと外国語

石井洋二郎 編

執筆＝鳥飼玖美子　小倉紀蔵　ロバート キャンベル　ほか

水声社

リベラルアーツと外国語◉目次◉

はじめに

本書は、二〇二一年五月二九日に中部大学「創造的リベラルアーツセンター」の設立を記念して開催されたオンライン・シンポジウム、「リベラルアーツと外国語」をもとにして編纂されたものです。

このシンポジウムは、二〇一九年一二月に中部大学春日井キャンパスで開催された「21世紀のリベラルアーツ」（二〇二〇年一二月に同名の書籍として水声社から刊行）の後を受けた第二弾として位置づけられます。前回はまだ「創造的リベラルアーツセンター」が発足前でしたので、まずはその準備段階として「リベラルアーツ」という概念そのものの再定義を試みるということが主眼でしたが、今回は少し焦点を絞って、「外国語」という視点からリベラルアーツの問題を掘り下げることをおもな目的としました。

第Ⅰ部は当日のシンポジウムの記録、第Ⅱ部はこのシンポジウムに関連する九名の論者のエッセイという構成になっています。

シンポジウムのパネリストは鳥飼玖美子さん（立教大学名誉教授）、小倉紀蔵さん（京都大学大学院教授）、ロバート キャンベルさん（早稲田大学特命教授）の三名。いずれも第一線で活躍中の著名な方ばかりで、当日のオンライン視聴者も、大学関係者だけでなく、中学高校の関係者、マスコミ・出版関係者、学生、そして多数の一般視聴者を含めて多岐にわたり、このテーマに対する関心の高さがうかがえました。

パネリストの方々の発表は、いずれも長年の研究・教育経験とそれぞれの豊かな専門的知見に裏付けられたユニークな内容で、パネリスト間では非常に示唆に富むやりとりが交わされましたし、参加者からも数多くの質問とコメントが寄せられ、主催者としては終えるのがもったいないほど充実したシンポジウムになったというのが偽らざる実感です。当日視聴できなかった方々にも、本書を通して白熱した議論の雰囲気を感じていただければ幸いです。

また第二部では、「リベラルアーツと外国語」というテーマについて論じていただくにふさわしいと思われる方々に寄稿を依頼しました。このシンポジウムを視聴して下さった方が多数ですが、それ以外の方の参加も得て、きわめて多彩かつ豪華な顔ぶれになったと思います。執筆者の方々にはそれぞれの立場からあくまでも自由に語っていただくことを旨としたため、アプローチの仕方も語り口もさまざまですが、一見するととりとめなく思えるかもしれないその幅広さこそが、まさにシンポジウムのテーマである「リベラルアーツ」の本質を図らずも表しているのではないかと考えています。

では、前置きはこれくらいにして、早速シンポジウム会場にご案内しましょう。

石井洋二郎

I

【シンポジウム】

リベラルアーツと外国語

鳥飼玖美子
（立教大学名誉教授）
小倉紀蔵
（京都大学大学院教授）
ロバート キャンベル
（早稲田大学特命教授）
【司会】
石井洋二郎
（中部大学教授）

石井　皆さん、こんにちは。本日は中部大学「創造的リベラルアーツセンター」設立記念シンポジウムにご参加いただきまして、まことにありがとうございます。私はセンター長の石井洋二郎と申します。本日の司会進行役を務めさせていただきますので、どうぞよろしくお願いいたします。

今回は錚々《そうそう》たる顔ぶれのパネリストにご参加いただいたこともありまして、皆様方から大きな関心をお寄せいただき、こちらの予想をはるかに超える数のお申し込みをいただきました。主催者として、心より御礼申し上げます。

本日のシンポジウムは、この四月一日に中部大学に新しく設置されました「創造的リベラルアーツセンター」、英語名称はCreative Liberal Arts Centerと申しますが、頭文字をとって略称CLACE（クレイス）の主催で行われるものです。センターと申しましても、まだ少人数の小規模な組織で、本当に手探り状態でのスタートというのが正直なところですが、これから大学教育に新しい「リベラルアーツ」の風を吹かせたいということで、文系・理系の意欲的な教員たちが協力して活動を始めたところです。

さて、今回のシンポジウムのテーマは「リベラルアーツと外国語」というものですが、まずはその趣旨につきまして、私から七、八分程度でご説明させていただきたいと思います。

21世紀のリベラルアーツ

石井　センター設立の準備段階として、二〇一九年の一二月には「21世紀のリベラルアーツ」と題するシンポジウムを中部大学キャンパスにて開催いたしました。その成果は、二〇二〇年一二月に水声社から刊行された書籍、『21世紀のリベラルアーツ』にまとめられておりますので、ご関心の向きはぜひ手に取って御覧いただきたいと思いますが、このときの基本的な問題意識は、いわゆる「一般教養」とほとんど同じ意味の概念として了解されてきた二〇世紀型のリベラルアーツの重要性は確認しながらも、二一世紀にはまた二一世紀にふさわしい新たなリベラルアーツ概念を構築することが必要なのではないか、というものでした。

私は常々それを、「四つの限界からの解放」として定義することを提唱しております。四つの限界とはすなわち、知識の限界、経験の限界、思考の限界、そして視野の限界です。私たちは全知全能の神ではありませんので、すべてのことを知っているわけではありませんし、当然ながら経験してきたことにも限りがあります。そして自分の頭で考えられることにも限界がありますし、目に見えているものにもおのずと限りがあります。このように、私たちが無意識のうちに囚われているさまざまな制約、限界から自らを解放するための技法、Arts、それが二一世紀のあるべきリベラルアーツの姿なのではないか、ということです。

こうした理念を実現するには、絶えず新たな知の地平に向けて自らを開き、鍛え、創りあげていく姿勢、すなわち「創造性」に富んだダイナミックな精神の運動が求められます。いささか陳腐で、安易な印象を与えかねない言葉であることは百も承知の上で、私どものセンターに「創造的」という形容詞をつけたのも、そうした理由によるものです。ちなみにセンターにはロゴがありますが、これも人間が四つの限界を超えて四方に伸びていくイメージを表したものです。

リベラルアーツとしての外国語

石井　さて、このようなものとしてリベラルアーツをとらえてみるならば、外国語はまさにそうした creative な arts のひとつであると言えるのではないか。なぜなら、母語とは異なる言語を学ぶことは、単にコミュニケーション・ツールを一つ増やすというだけではなく、思考も感性もひっくるめて、みずからの存在そのものをまるごと別の文化的文脈の中に投げ出すことにほかならないからです。こうした全面的な「自己投企」によって、私たちはそれまで知らなかったことを知り、経験できなかったことを経験し、考えられなかったことを考え、見えなかったことを見ることができるようになる、つまり「知識」「経験」「思考」「視野」という四つの限界のすべてからみずからを解き放ち、自分自身を創造する、create する可能性を手に入れることができると思うわけです。

ただし言うまでもなく、母語とは異なる言語環境の中に身を置くことには、さまざまな困難が伴います。ごく単純に、相手の言っていることが十分に聞き取れなかったり理解できなかったりする居心地の悪さ、自分が思っていることをうまく言い表したり書き表したりすることができないもどかしさ、さらには母語によって培われてきた自己のアイデンティティそのものが揺らいでしまうのではないかという不安――外国語を学んでいくプロセスの中で、そうした状況に直面した経験は、誰もが多かれ少なかれ味わったことがあるのではないでしょうか。

もちろん、早くから外国語に親しむ機会があって、母語と同じようにこれを使いこなすことのできるバイリンガル、トライリンガルの人たちも少なくないでしょう。しかし大半の人にとって、外国語というのは数々の違和感や抵抗感なしにはなじむことのできない、文字通りの「他者（étranger）」として立ち現れてくるものだと思います。

外国語と母語

石井　けれども「重力があるからこそ鳥は空を飛ぶことができる」としばしば言われるように、こうした違和感や抵抗感があるからこそ、私たちはその重力を利用して、外国語という異空間を飛び回る力を獲得できるのではないでしょうか。母語とは異なる語彙を使い、母語とは異なる文法規則に従い、母語とは異なる文字や音で言葉を紡ぎだすこと、それは確かにどうしようもない不自由さにつきまとわれる経験ではあるけれども、同時にまた、四つの限界を超えることによって、それまで知らなかった新しい風景を次々に見せてくれる、限りなく豊かな自由の経験にもなりうるはずです。

さらにひとつ付け加えておくならば、外国語を学ぶことは同時に、自分と母語との関係を問い直すきっかけにもなると思います。私たちは無意識のうちに、母語は自分と一体化したものと考えがちですが、外国語というフィルターを通してみると、それまで親しんできたはずの母語がまた別の顔を見せるということがあるかもしれない。そして母語そのものをひとつの「外国語」として相対化することができるようになるかもしれない。

このように考えてみると、外国語を学ぶことはまさに、私どもが標榜する「創造的リベラルアーツ」の最も集約的な形態であると言ってもいいのではないか。というわけで、これが本日のシンポジウムを企画した趣旨ということになります。

ただし、以上に申し上げたことはあくまでも私の個人的な考えにすぎません。本日お招きしたパネリストの皆さんは、それぞれの分野で豊かな経験と実績をお持ちの先生方ばかりですから、そもそも「リベラルアーツ」という言葉に関しても、たぶん私とは異なる独自の見解をお持ちであると思いますし、さらにこれを外国語の問題と結びつけるとなると、いったいどんな話が飛び出すのか、私も正直なところまったく予想がつきません。
しかしながら、異なるものを無理に一つにまとめて何らかの解答を導き出そうとする予定調和的な発想は、およそリベラルアーツの精神に反する振る舞いですので、今日はあくまでもそれぞれのお立場から、自由にこのテーマを論じていただきたいと思います。そして、その中で異質なもの同士がぶつかり合い、多様な化学反応を引き起こして、参加者の皆さんにも何らかのヒントになるような、刺激的な議論が展開されれば、本日の成果としてはそれで十分であろうと考えております。

石井 それでは、本日のパネリストの先生方をご紹介したいと思います。
最初にお話しいただきますのは、立教大学名誉教授の鳥飼玖美子先生です。鳥飼先生はご紹介するまでもないと思いますが、一九七〇年代から英語の同時通訳者としてテレビなどでもご活躍で、私もその頃から憧れの存在として仰ぎ見ておりました。しかしそれは鳥飼先生のほんの一面であって、近年は英語教育関連のご著書も数多く発表しておられますし、大学では異文化コミュニケーション学という先進的な分野を開拓してこられました。また、最近話題になった大学入学共通テストへの英語民間試験導入問題などについても積極的に発言してこられたことは、皆さんもよくご存じのことと思います。そうした文脈を踏まえて、今日は「リベラルアーツとしての複言語主義」というタイトルでお話しいただきます。

二番目にお話しいただきますのは、京都大学大学院教授の小倉紀蔵先生です。小倉先生はＮＨＫ教育テレビのハングル講座講師を務めていらっしゃいましたので、画面を通してご存じの方も多いと思いますが、これもやはり小倉先生の幅広いお仕事からすれば、ほんの一面にすぎません。本来は東アジアの哲学思想、日韓関係などがおもなご専門ですが、それ以外にも多岐にわたるテーマで数多くの著作を発表していらっしゃいます。今日は「〈あいだのいのち〉をはぐくむ」という、ちょっと謎めいたタイトルでお話しいただくことになっておりますが、さて、いったいどういうお話がうかがえるのか、そしてこれが「リベラルアーツと外国語」というメインテーマとどのように結びついてくるのか、たいへん楽しみです。

三番目にお話しいただきますのは、早稲田大学特命教授のロバート キャンベル先生です。キャンベル先生はコメンテーターとしてテレビ番組にもしばしば登場なさる有名人ですので、知らない方はおられないと思いますが、英語を母語としながら日本語で近世・近代日本文学を中心としたご研究を展開され、この三月までは国文学研究資料館長を務めていらっしゃいました。文学はもとより、日本文化全般についても造詣が深く、マスコミでもネットでも、さまざまな問題について非常に的確な、また非常に示唆的な見解を積極的に発信しておられます。本日は「ここに居ない者たちの声に耳を傾ける時」という、これまたいささか謎めいた、興味をそそられるタイトルでお話しいただきますので、大変楽しみにしております。

それではまず鳥飼先生、どうぞよろしくお願いいたします。

リベラルアーツとしての複言語主義……鳥飼玖美子

鳥飼 皆さん、こんにちは。私は今日、「リベラルアーツとしての複言語主義」というお話をしたいと思います。

リベラルアーツについては、先ほどの趣旨説明で石井洋二郎先生が詳しくお話しくださいました。ご自分の個人的見解とおっしゃいましたが、石井洋二郎先生がご説明なさったリベラルアーツ、そしてその外国語教育との関係は、私が考えていたこととほぼ完全に重なりますので、その部分はもう趣旨説明で十分ご理解いただけたということで、私はすぐに言語についてのお話に入らせていただこうと思います。

人間が言葉を持っているというのは、大変に幸せなことです。それはどういうことかといいますと、リベラルアーツが人を自由にするための学びであるならば、それを可能にするのが言語なのですね。人間が自由を得て飛翔することを言葉が可能にしてくれると私は考えています。

いきなり映画の話になりますが、二〇一九年に制作された『博士と狂人（*The Professor and the Madman*）』という作品が二〇二〇年、日本で公開されました。初版発行まで七〇年を費やしたオックスフォード英語大辞典の誕生にまつわる実話で、原作は *The Surgeon of Crowthorne* (Simon Winchester, 1998) です。「博士」とは、貧しい家庭の出身で大学院に進めなかった異端の学者ジェームズ・マレー（James Murray）で、メル・ギブソン（Mel Gibson）が演じています。「狂人」とは、元軍医で精神を病み殺人を犯したウイリアム・チェスター・マイナー（Dr. William Chester Minor）で、ショーン・ペン（Sean Penn）が演じました。二人の天才は、英国の威信をかけた辞書作りという夢を共有し絆を深めていきます。

一つの単語の語源から用例まで徹底的に追求する二人の言語への情熱が丹念に描かれている映画で、その中に「人間は言葉によって飛翔する」という一言が出てきました。これは、まさしく人間の言葉の本質を言いえていると思います。自由に飛び立つために、人間には言葉が必要である。

異質性との対話

鳥飼　それに加えまして私は、個人としての人間が生きるに当たって、その人生を豊かにするのは異質性との接触や対話（interaction 相互行為）であり、広く見れば、異質性との邂逅と相互行為がない限り人類の進歩はない、と考えています。

ここで私が「異質性」と申し上げているものにはいろいろな意味があります。他人との違いという個人的なレベルもありますが、それだけではありません。例えば研究者にしても、普通は自分の専門分野というタコつぼのような狭いところに閉じこもってしまうわけですけれども、それではお互いが異質のままであって、そこに対話がないと学問も進歩しません。特に最近は、新型コロナ感染症対策にしましても、人工知能（ＡＩ）にしましても、一つの学問分野だけでは解決しきれない人類共有の問題が存在します。環境問題もしかりで、**SDGs**（Sustainable Development Goals 持続可能な開発目標）という、差別や紛争、貧困や格差など幅広い枠組みで考えないと解決に至らないことが認識されています。つまり、今までのように理系と文系という分け方で、それぞれが別々に研究しても、人類共通の課題は解決できないことがありえます。既成の学問分野を越境し、複数の、あるいは多くの領域を横断するような研究をすることが求められます。異なる学問領域同士が対話をする、違う学問分野を専攻している研究者たちがお互いに理解を深めようと対話をする、そこから人類は持続可能な未来に向かうことができます。

ただ、「異質性との対話」というのは響きがいい言葉ですけれども、これが簡単ではないのですね。理解し合うために対話をするわけですが、そもそも人間にとっては「理解」ということ自体が難しいことです。自分とは違った「他者」を理解するというのは、たとえ相手が家族であっても、親しい友人であっても、とことんわかり合えるかといったら、そうではありません。完全な相互理解というのは、ある意味では幻想にすぎない場合もあります。でも、だからこそ、私たち人間は諦めずに対話を続けなければいけない。そしてそこでは、異質性に遭遇したとき、他者と対峙したときに、どのように対応して対話を続けていったら良いかという、異文化コミュニケーション研究分野でいうならば、「異文化能力」――異質性を理解しようとする能力――が必要になってきます。

この力をどう涵養《かんよう》したら良いのか、育成したら良いのかと考えますと、外国語を学ぶことが、もっとも具体的で、誰もが試せることです。外国語というのは、自分とは違う文化を背景に持つ外国の言葉ですから、「異文化への窓」になります。

日本では学校での英語教育について、実効を上げていないとか、成果が上がっていないとか、やはり日本人は語学下手だとかいうことを盛んに言いますけれども、そもそも外国語は、そんなにたやすく習得できるものではありません。なぜなら、外国語というのは、異質性が凝縮されているからです。文化が異なり音声や語彙、文法や語法などもまるで違う他者の言語を学ぶということは、そんなにやすやすとできるわけではないのです。どんなに親しみを持って学び始めた外国語であっても、外国の言語である以上、相当な苦労が伴います。母語との葛藤や、自らのアイデンティティが脅かされたり揺らぐことを考えれば、これは闘いであるとも言えまして、異質な他者と格闘するくらいの大変さがあると、私は思っています。

なぜ外国語習得が苦労を伴うのかというと、例えば英語と日本語のように、語順が全く違うとか、発音がまるきり違うとか、発想法も論理構成も違う、ということもさることながら、やはり言語の奥に潜む文化が違う、言語文化が違うことが外国語学習を難しくしています。でも逆に言えば、だからこそ、外国語は学ぶ意義があるわけです。苦労して学ぶことで、他者とは何か、異質性を理解しようとするのはどういうことかがおぼろげにわかってきます。同時に、自分自身、あるいは自分の文化、自分の言語を振り返り、相対化することができるようになります。そうなって、ようやく相互理解への入り口にたどり着けるのだと思います。

多言語主義と複言語主義

鳥飼　今日、私が具体的にお話ししたいと思っているのは、リベラルアーツとしての外国語教育と近似した理念と思想を持っている、と私が考えている複言語主義（Plurilingualism）についてです。複数（pluri）の言語主義（lingualism）という意味で、欧州評議会（Council of Europe）独特の用語です。

ＥＵの場合、多言語主義（Multilingualism）を標榜しています。これは、複数の言語が共存することを許容する、あるいは、多くの言語が共存している状態を指します。具体的には、ＥＵでは加盟国数が二七カ国、公用語数が二四言語となっています。数に違いがあるのは同じ言語を公用語として申請した国が幾つかあるからで、加盟国は二七カ国だけれども、公用語は二四言語が認定されています。ＥＵではこれらすべてを公用語として認めていて、そのために通訳翻訳に相当な予算と人材を確保しています。その副産物として、通訳や翻訳に関する研究も盛んです。

複言語主義は、これとは違います。複言語主義というのは、単に多くの言語が共存している状態を指すのではなく、ある意図を持って欧州評議会が推進している政策なのです。どういうことかといいますと、母語以外に二つの言語を学びましょうという提案です。その二つの言語というのは、英語とは限らず、どの言語でもいいし、自分の国にある少数言語でも構わないのです。自分の母語以外の異質な言語を二つは学ぶ。しかも、それらをばらばらに学ぶのではなくて、母語と他の言語二つを有機的に関連させ、新たなコミュニケーション能力を創出する、というのが複言語主義です。

他者の言語を二つ学び、それを相互理解に結びつけ、ひいてはその相互理解によって平和を構築することを目指しているわけですが、一人の人間の内面から見ますと、母語を活用しながら他者の言語を新たに学び、それをもとに次なる言語を学ぶことで、豊かなコミュニケーション能力をつくっていくことが目標になります。さらに重要なこととして、言語は文化の主たる要素であるということも明記しています。それからもう一つ、これは外国語教育関係者にとっても重要な視座ですが、言語を学ぶことは学校教育だけでは完結しない、むしろ言語は生涯をかけて学ぶに値するものである、それを可能にするためには、「自律した学習者（autonomous learner）」を育てることが肝要だ、とされています。複言語主義には、そういった基本原理があるのです。

ＣＥＦＲとは何か

鳥飼　この複言語主義を具現化したのが、日本でもおなじみのＣＥＦＲ（Common European Framework of Reference for Languages）「外国語の学習・教授・評価のためのヨーロッパ共通参照枠」です。もともとはヨーロッパ地域を視野に作成されたものですが、これが世界中に広がっています。一九六〇年代から研究が始まり、数十年かけて今や世界で四〇から五〇の言語教育に活用されています。日本語教育も対象になっています。

世界の言語教育に応用することがなぜ可能なのかというと、ＣＥＦＲというのは個別言語を対象にしているのではなく、外国語を学ぶこと自体に立脚した、どの言語にも使える参照枠だからです。ある言語の熟達度を、公共の場での言語使用、私的領域での言語使用といったように分類し、技能別、場面別など、微細に分けて能力を記述します。検定試験のスコアなどの数値ではなく、言葉を使ってできるようになったことを文章で表すのです。この記述文は、Can Do Descriptors / Can Do Statements と呼ばれています。

これが日本にも輸入され、文部科学省がすでに中学・高校へ導入しているのですが、日本に入ってくると何だか違ったものになるのですね。ＣＥＦＲでは、Can Do Descriptors

は主として自己評価に使われます。自分はこのくらいできるようになった、と学習者が自身の学習を振り返り、今後の学習を進めるにあたっての参考にするために使うのです。もちろん教師が客観評価をして両者をつき合わせることもしますが、大学入試などの選抜に使うことを目的としてはいません。ところが、それがひとたび日本に入ってくると、振り返りではなく到達目標に使われ、ひいては入試にも使われるようになっています。

特に社会的に大きな波紋を引き起こしたのは、二〇二一年開始の大学入学共通テストでCEFRを参照基準として用いることでした。どういうことかというと、英語の「四技能」（読む・聞く・書く・話す）、とりわけ「話す力」を測定するにはセンター試験だけでは無理だとされ民間業者の試験を利用することとなり、多種類の民間試験を比較するのに、TOEFLは何点、英検は何級、GTECは何点とばらばらでは評価が難しい、大学入試用に統一する基準が何か必要だということでCEFRの六段階（「基礎段階の言語使用者A1、A2」「自立した言語使用者B1、B2」「熟達した言語使用者C1、C2」）が使われたからです。ところが、このレベル別というのはCEFRの一部に過ぎず、個々の学習者が何をできるようになったかを示す能力記述文と、個別言語にとらわれず多様な言語に使える尺度だという点が最も重要なのです。しかし、日本ではこの六段階が大々的に使われ、特に大学入試では「A2レベル」の能力が必要だとされ、広く知られるようになりました。

四技能から七技能へ

鳥飼　日本の大学入試ではＣＥＦＲ開始時の二〇〇一年版をそのまま使っていますが、世界中でＣＥＦＲが使われ、さまざまな意見が出ていたため、二〇一八年になって欧州評議会は、従来のＣＥＦＲの趣旨をそのまま生かしながら、Companion Volumeというかなり分厚い増補版を公表しました。二〇二〇年には能力記述文を改善した版も発表していま す。このＣＥＦＲ増補版において、参照レベルは、六段階ではなく一一段階に増えていま す。六段階ではざっくりし過ぎていて使いにくいという批判に応え、Ａ１以下のレベル(pre-A1)、C２レベル以上(Above C2)を加えたほか、Ａ２、Ｂ１、Ｂ２にそれぞれ「プラス」を入れて、一一段階に分類したのです。

そもそも日本では、民間試験導入の理由として、大学入試で英語「四技能」の能力を測定する必要があることが挙げられ、日本ではあたかもこれが新しいことであるかのように喧伝されていますが、「四技能」というのは、一九七〇年代から外国語教育の常識とされてきました。ところが、二〇一八年のＣＥＦＲ増補版では、「伝統的な四技能はコミュニケーションの複雑な現実を捉えるには不十分（inadequate）である」と明言しました。「四技能」だけでコミュニケーション能力を測るのは、十分ではない、適当ではない、適切ではないというのです。

「四技能」の代わりに欧州評議会が提示したのは、四つのコミュニケーション様式（七技能）です。最初に、「受容（reception）」として「聞くこと」と「読むこと」の技能。それから、「産出（production）」として「話すこと」と「書くこと」。加えて、「相互行為（interaction）」として、いわゆる「やりとり」があり、「話すことのやりとり」と「書くことのやりとり」に分類されています。「書くことのやりとり」は、手紙やEメールなども入りますが、特に意識されているのが、あたかも普通の対話のようにやりとりをするSNS（social networking service, 英語では social media）と総称されるTwitter、Facebook、Instagramなどです。加えて、言語を学ぶには「仲介（mediation）」という概念が重要であるとして入れています。例えば、教師が学習者に英語という外国語を教えるとき、その教員は生徒たちの母語である日本語と外国語である英語との間を行きつ戻りつして仲介をする。それから、外国語の教科書を読むということは、書かれたテクストの概念を異言語から母語へと仲介している、と説明しています。このように、かなり拡張した概念で「仲介」を捉え、コミュニケーションの一部として入れています。

こういったことに鑑みると、日本のＣＥＦＲ受容が致命的に歪んでしまった原因は、そもそもＣＥＦＲを作成した理念、拠って立つ思想や原理を完全に捨象してしまったことにあると考えられます。本来なら複言語主義という思想を無視しては、ＣＥＦＲを理解することはできないのです。複言語主義を実現するために策定されたのがＣＥＦＲなので、ここで改めて複言語主義について考えたいと思います。特にこれをリベラルアーツの枠組みで検討することが必要です。

日本の教養教育と外国語教育

鳥飼　日本の大学教育においては伝統的に、リベラルアーツを核とする教養教育を専門教育と並ぶ中核的な要素としてきました。ところが一九九一年の大学設置基準大綱化によって、多くの大学で教養教育が解体された時期がありました。しかしその後、現代社会の変化と諸課題に対応するためには教養教育の再構築が必須だと言われるようになりました（日本学術会議「日本の展望――学術からの提言２０１０　21世紀の教養と教養教育」）。

教養教育の再構築には外国語教育も含まれますが、日本の教養教育における外国語の位置は、揺らいでいるというか、率直な印象として壊滅状態に進みつつあります。複言語主義どころか、英語しか念頭にない。外国語といえば英語。コミュニケーションといえば英語。英語さえできれば良い、としている大学が大半です。人類には多様な言語があり、すべての言語を習得することは当然ながら無理にしても、その幾つかを学ぶことによって、それぞれの言語が持つ独自の世界を知ることができます。それがどれだけ一人の人間の人生を豊かにし、そしてまた人間同士の相互理解に貢献するか計り知れませんが、その恩恵は短期間に目に見える成果としては現れません。現在の日本の大学教育では、もちろん例外はあるでしょうし、例外があってほしいと思いますけれども、多くの場合、英語教育一辺倒であり、しかも実用的な英会話スキルの成果を民間試験のスコアで測ることばかりを目指しており、何のために外国語を学ぶのか、外国語を学ぶとはどういうことなのかについての理解が甚だ欠如しています。欠如しているというか、最初から考えようとしていないとすら思われます。

これにはもちろんビジネス界からの要請が大きく影響しています。経済界から見れば、日本の企業戦士が世界で活躍し、日本企業がグローバルな利益をあげるためには、何といっても国際共通語としての英語が必要だ、という信念に基づいているわけです。ただ、教育関係者がこれに黙って流される必要はないはずです。経済界は、経済界の論理から意見を言うでしょう。でも、それに対して、教育者、特に言語教育の専門家は、もっと声を上げて良いと思います。言語教育が何のためにあるのか。企業の利益／不利益だけのために、あの言語もこの言語も要らない、英語だけで十分だ、と切り捨ててしまって良いのか。長い目で見てそれがどれほど日本のこれからの世代にとって大きな損失になるのかということを、もっと議論して良いのではないかと思います。

韓国ドラマと異文化コミュニケーション

鳥飼　この辺で少し気楽な話をしますと、ちょうど私の次にお話しになるのが韓国文化の専門家でいらっしゃる小倉先生ですが、実は私、韓国ドラマにはまっています。あまりにもはまってしまい、『異文化コミュニケーション学』（岩波新書）という著書で、事例に使っているくらいです。

初めて韓国の連続ドラマ『愛の不時着』を見て感動して以来、韓国ドラマを主としながらも、ほかの国のドラマや映画、例えばカナダ、英国、アメリカ、スウェーデン、中国、インド、タイ、フィリピンなど、いろいろな国で制作された映像作品を楽しんでいますが、人間としての普遍性と同時に言語文化の違いも大きな魅力につながっていると感じます。愛や別れ、憎しみや復讐など、人間のどろどろした面も含めて、同じ人間としての普遍性、人間のありようを描いているので『愛の不時着』があれだけ世界中の人々の心に響いたわけですけれども、それでも、よく見てみると、やはりそこにコリア語（韓国語・朝鮮語）独自の文化が潜んでいるのが興味を喚起します。

私は残念ながらコリア語を全く知らないのですが、字幕翻訳を読みながら、セリフの音声を聞いていると、時に、多分これは日本語と同じ漢字で発音が違うだけだなとか、この音は日本の母音にはないけれどコリア語にはあるのだな、というようなことが分かってきます。それから、尊敬語とタメ口の使い分け——目上の相手に対する語用、レジスターの違い——といったものが、ドラマを見ているうちにだんだんわかってきました。それがおもしろいのですね。違いがおもしろい。

「共感」と「寛容」

鳥飼　自分と違うことは、普通は嫌です。例えば、学校なら友達、会社なら同僚になりますが、自分の隣に自分とは全く異質な言語を話し、未知の文化を持つ人が来たら落ち着かない気持ちになります。グローバル化した社会では、これが例えば移民への反感という形で顕在化します。職を奪われそうだとか、自分の町に宗教の違う人がいるのは何だか怖いとか、そういったいわれのない偏見がどうしても生まれてしまい、拒否しようとする。それが移民排斥につながっていきます。

自分と異質な存在を拒否したり嫌ったりする人間の感情をどうコントロールし、異質性に対して尊敬の念を抱くようにするか。理解まではいかないにせよ、文化が違うとはこういうことなのかと、一歩引いて自分を客観視し相対化しながら異質性と向き合うというのは、相当な努力がないとなかなかうまくいきません。異文化コミュニケーション研究の分野で、最近、重視されているのは「共感（empathy）」と「寛容（tolerance）」ですが、これは説明を聞いたり読んだりしただけで身につくものではありません。やはり体験してみないと実感として分からない。でも実体験する機会がないこともあるので、そういう場合には、外国のドラマや映画を見ると、近隣の国であってもこんなに違うのか、でも同じ人間なんだ、と感じることができます。そういう学びを積み重ねながら、理解とまではいかなくても、理解しようとするところまでは持っていくことができるのではないか。

同時に、偏見や嫌悪感や警戒心といった自分の中の異質性に対する否定的な感情を超越するすべを、外国語を学ぶことによって少しずつ身につけていくことができるのではないか、とも考えています。

しょせん人間の世界は先が見えません。特に新型コロナ感染症の流行が各国で拡大して以来、私たちのこれまでの世界は一新されてしまい、この先どうなるのかは誰にもわからない状況です。そのような中、「未知の世界（the unknown）」に踏み込む勇気を得るためにも、リベラルアーツの中で外国語教育をもっと大事にして、一つの言語に絞るのではなく、せめてもう一つ加え、複数の言語、最低でも二つの言語を学んで、自分が生きている世界とは異なる世界が存在している、ということを若い世代に知っていただきたい。それが外国語教育の一つの大きな存在意義だと考えています。

そろそろ時間ではないかと思いますので、この辺で私のお話は終えたいと思います。ありがとうございました。

石井　鳥飼先生、どうもありがとうございました。大変わかりやすく、異質性との対話の重要性についてお話しいただきました。そして、しばしば曖昧に混同されがちな多言語主義と複言語主義の違いもよくわかりました。外国語を学ぶことは「異質性との対話」そのものであり、それが人間を飛翔させる契機としてのリベラルアーツの一部をなすというのは、まさに私の主張と一致する考え方で、大いに共感しながらうかがいました。

鳥飼先生がおっしゃる「異質性との対話」は、私の言葉で言えば「領域の限界からの解放」にあたると思います。鳥飼先生は、人類が直面している諸問題に対応するには異なる分野間での相互理解が不可欠であるということを述べられましたが、私が『21世紀のリベラルアーツ』で主張したのも、現代人が直面している問題のほとんどはもはや単一の学問分野で対応できるものではないということ、したがって複数の学問分野を「タコツボ」から解放し、それらの連携による「逆ササラ型」の統合知を構築することが不可欠であるという認識でした。

また、「どうしようもない分かり合えなさ」が存在するからこそ「他者の言語」との格闘が必要であるという論点は、私が最初に述べた「違和感や抵抗感」を乗り越えてこそ外国語という異空間を飛び回ることができるという命題とも呼応するような気がいたします。

CEFRについて言えば、これを利用して大学入学共通テストに英語の民間試験を導入しようという動きが起こったときは、私もなぜこんな理の通らないことが進んでしまうのだろうと思っておりました。CEFRが単なる実践的英語力の指標として皮相的に利用されようとしている印象があったわけですが、鳥飼先生はこれが本来は欧州評議会の複言語主義という思想・理念に裏づけられたものであったことを早くから指摘されて、この動きを批判しておられました。今のお話を伺って、あらためてそのお考えがよく理解できたような気がいたします。

ついでに申し上げますと、韓国ドラマには実は私も最近ちょっとはまっておりまして、先生ほどではありませんが、代表的なものは何本か見ました。あれは確かにはまりますね。この話を始めると本筋からずれてしまうのでやめておきますが、次の小倉先生にうまくつないでいただいたような気がします。では続きまして、小倉先生からお話をいただきたいと思います。

〈あいだのいのち〉をはぐくむ……………………小倉紀蔵

小倉　ありがとうございます。もう鳥飼先生が韓国語の魅力をお話しくださったので、私が話す必要もなくなってしまいました。確かに韓国のドラマはおもしろいですよね。

私、かつて著作でこう書いたことがあります。日本のテレビドラマがなぜつまらないのかというと、日本のテレビドラマでは、月夜の公園で「何となくあなたとはもうやっていけそうもないの」といったセリフを女優さんが言って、恋人たちが別れてしまうからである。韓国ドラマでは、恋人たちは公衆の面前で理屈をまくしたてて別れる。女優さんが、「あなたはこういう理由で道徳的に間違っていて、その不道徳なあなたとつき合うことは、私の道徳性をひどく傷つける。だから私はあなたと別れなくてはならないの」と説明をする。セリフはこのとおりでないにせよ、言っている内容はそういうことで、つまりあくまでも道徳がもっとも重要なのですね。そこが日本のテレビドラマと違っているから、非常におもしろいのだと思います。この二〇年ほどは全然見ていないのですが、私も一九八〇年代、九〇年代にはよく韓国ドラマを見ました。そのころがいちばんおもしろかったと思います。

私はパワーポイントをお見せしながら話を進めたいと思いますが、ちょっとその前に、私は大変ひねくれているというか、はすにしか物が見られない人間なので、先ほど鳥飼先生がおっしゃったメインとなる重要なテーマ、複言語主義に関して少し申しあげます。

この複言語主義に関しては、京都大学で英語以外の外国語を教えている教員が編集した『マルチ言語宣言』(二〇一一)という本で論じました。フランス語の先生が中心となってつくった本です。二〇〇八年にフランスの有名なドビルパン首相を京都大学にお招きしたことがありました。ドビルパンさんはご存知のとおり、日本の政治家には全然いないような大変なインテリで、演説などにも文学作品をたくさん引用し、国連でイラク戦争反対の立派な演説をされたりした非常にすばらしい方なのですが、その方が京都大学にいらっしゃって、複言語主義と多極的世界観に関してご講演をされました。

私はそのシンポジウムの司会をしていたのですが、意地悪くドビルパンさんにこう質問してみたのです。「あなたの複言語主義、多極的世界観のお話は大変すばらしいけれども、あなたのお話を聞いていると、一つの言語しか、つまり母語しか使えない人の価値が低く思えてしまいます。例えば、日本では能、歌舞伎、和歌といったすばらしい文化がいろいろ出てきましたが、彼らあるいは彼女らは特に複言語主義の人間ではありません。それでも一級の文化を紡ぎ出したわけです。それはどうお考えですか」と。そうしたら、ドビルパンさんは百戦錬磨の最高の知識人ですから、すばらしいお答えをしてくださいました。「多言語主義、多極的世界観というのは、もちろん一つの言語に閉じこもっている人を低く見るわけではない。すべての言語の世界は、詩の世界なのです。そして詩的であるということは、多極的であるということです。四つも五つも言語を駆使できようが母語一つしか駆使できなかろうが、それは関係ないのです」とおっしゃったのです。私の記憶がすこしあいまいですし、司会者からの質問だったので記録されていない発言なのですが、私の記憶ではすくなくとも、ドビルパンさんはこのようにおっしゃりました（もしかしたら私の記憶違いということもありえますので文責は私にありますが）。本当にすばらしいお答えで、日本の政治家もそのぐらいの応答能力を持っていただきたいと思いました。

京都大学における外国語教育の現状

小倉　さて、前置きが長くなってしまいましたが、今日の私のお話に入りたいと思います。まず私の立場ですが、京都大学の総合人間学部というところに所属しています。これは旧教養部です。今日の主催者の石井先生もかつて所属されていたわけですが、旧教養部というのは教養科目みたいなものを全面的に担当していたところでして、今の総合人間学部も全学共通教育という一・二回生がリベラルアーツ的に教養科目として受ける授業を主に担当しています。私どもだけでなく理学部などほかの学部の方も担当しているのですが、主として私の学部が受け持っています。私は全学共通科目の中では朝鮮語を担当していますす。学部や大学院では東アジア思想関係の科目を担当しているのですが、今日のお話とつなげて考えるときには、朝鮮語というのが非常に重要であろうと思います。

お恥ずかしい話ですが、京都大学では、英語以外の外国語を必修から外そうという根強い動きがあります。英語以外の外国語を選択必修科目として学ぶ必要はない。英語だけを学べばいいとまでは言わないけれども、選択必修科目にする必要はなく、フランス語や中国語やアラビア語などを習いたい人は、必修でない選択科目として学べばよい。そのほうがクラスも意欲のある学生ばかりになり、教える方も楽なのではないかといった圧力があるのです。もちろん私たち英語以外の外国語教員はこれに反対していますが、京都大学のような大学では非常にそういう考え方が強い。「京都大学のような大学」とはどういうことかといいますと、実は京大の学生数は圧倒的に理系が多いのです。教員の数も圧倒的に理系が多いわけですので、当然、理系の声が強いのです。

朝鮮語を学ぶ意味

小倉　中でも朝鮮語はマイナーで、かつ特殊な言語と言っていいと思います。京都大学には昔の旧制高等学校的な文化が色濃く残っていまして、今でもドイツ語が圧倒的に強く、朝鮮語のようなマイナーな言語の履修者は少ないのです。ほかの大学に行きますと、今は韓流ブームやＫポップが好きな人も多いので、特に若い女子学生など朝鮮語・韓国語の履修者が非常に多くなっており、ますます増えているという話を聞きますが、京都大学はそうではありません。非常に珍しい大学だと思います。「朝鮮語」という外国語科目の名称も、ちょっと関係しているのかと思います。これを「韓国語」と変えると、どこの大学でも履修者が一気に増えるという現象があります。ただし、京都大学は「朝鮮語」という名称を変えません。京大の中で朝鮮語がいかにマイナーかといいますと、一八九七年に京都帝大ができて以来、私が初めての朝鮮語の専任教員です。百年以上、朝鮮語の専任教員がいなかったわけで、そのぐらいマイナーだということです。

朝鮮語をなぜ学ぶか、というのは、二段階の説明となります。まず、なぜ大学で英語以外の外国語を学ぶのかということに答えなければいけません。その次に、ドイツ語やフランス語や中国語といった重要な言語に比べて、朝鮮語はそれほど重要性がないように見えているわけですので、英語以外の外国語を学ぶとしても、なぜ朝鮮語なのかということに答えなければいけません。これは、隣の国だからとか、日本と韓国には歴史的に特殊な関係があるからとか、あるいは、イデオロギーという考え方もかつては非常に多くありました。主に左側のイデオロギーですね。それで京都大学では「韓国」という名称を使うことが忌避される傾向が著しく強くありました。かつて私も、「朝鮮語」を「韓国語」へ変えることはできないにせよ、東京大学がそうしているように「朝鮮・韓国語」などという名称に変えようとしたのですが、強い反対があり、やはり「韓国」という固有名詞は言語の科目名に入れないことになっています。

私がつくっている朝鮮語コースの公式的な定義は、「朝鮮半島及び日韓・日朝関係を文化的・社会的・歴史的な側面において理解し、東アジアにおいて生きていくための自分なりの世界観を身につけるための語学教育」（世界観養成語学教育）です。広義においては「異文化理解」となるでしょうけれども、単に「異なる文化」を「理解」するという意味ではなく、自明のものとされがちな「自文化」を相対化し、近接した他者との複雑な関係性の中でそれを解釈した上で、今後みずからが朝鮮半島とどのような関係をアクチュアルに構築すべきかを考究するために必要な最低限の語学力を養成することを目的としています。

この定義を見ると、非常にいかめしい感じですので、難しそうだな、頭が痛いなと言って学生さんは来ないのかもしれませんが、「どこでご飯を食べますか」というような会話の教育はしないというようなことも含意されています。もちろんＫポップなどをやりたい学生もいるわけですから、こんな難しい定義をするのも問題かな、と反省するのですが、先ほど鳥飼先生のお話にもありましたように、韓国文化に接していると、「あれっ？」と日本文化、自文化を相対化する軸が自然にできてくるのですね。自明のものと思っていた日本文化を、もう一つの視点から、しかも韓国という非常に日本と似たような文化を持つところの視点から見ると、新しい発見がたくさん出てくると考えます。

「アイデンティティ」の訳語をめぐって

小倉　ここまでは朝鮮語の話でしたが、今度は私がリベラルアーツというものをどう考えているのかをちょっとお話しし、最後はまた朝鮮語の話に戻りたいと思います。

リベラルアーツについてはいろいろな考え方があると思いますが、私は、これを一九九〇年代のアメリカで起きたような多文化主義と結びつけるのは危険だと考える立場の人間です。ただし、これは私の個人的な考え方ですので、別にそれが正しいと言いたいわけではありません。

かつて一九九〇年代のアメリカでは、多文化主義、アイデンティティ（自己正体性）、オーセンティシティ（真正性）、承認、権力、読むべきカノン（正典）は何か、マイノリティの文化といったことが議論されました。

「アイデンティティ」は普通「自己同一性」と訳されます。例えばジョン・ロックがその言葉を使ったときなどは、明らかに「自己同一性」という意味だったと思います。ただ、現在特に多文化主義などで言われる「アイデンティティ」は、「自己正体性」と訳したほうがいいのではないかと私は思っています。日本語で「アイデンティティ」は「自己同一性」と決まってしまっていますが、韓国語では「正体性」という訳語になるのですね。つまり、「自己正体性」というのは、日本語の「自己同一性」と韓国語の「正体性」を合わせた言葉なのです。韓国語を知っているとこういうこともできるので、韓国語を学んでいる者の役得というか、いいなという感じがしています。多文化主義における「アイデンティティ」というのは、自己の同一性というよりも、自己の正体は何かという話なのです。「オーセンティシティ」はふつう、「真正性」と訳されています。どんなものでも本物であるということ。異性愛が本物で、そうでなければ本物ではないとかそういうことではない。どんなものでも本物であるということです。

「読むべきカノンは何か」というのも非常に重要な問題です。例えば、アメリカの大学でのリベラルアーツにおいて、西洋の知的伝統において教養をつくりあげる上で重要だったという意味でプラトンから始まるいわゆる西洋の白人が書いた古典的なものだけが読まれているのはおかしい。マイノリティのかつて書いたものの中にも重要なものはたくさんあるし、もっと言えば、マイノリティの書いた重要でないものを排除することもおかしい。そういうような議論が起きたわけですね。こういう議論が、私は非常に重要だと思います。

リベラルアーツと「尊厳」

小倉　私自身も、朝鮮語や朝鮮とかかわっている限り、やはりマイノリティの文化、オーセンティシティ、アイデンティティといった問題を常に考えざるをえません。けれども、リベラルアーツをそういうものと直接結びつけてしまうと、リベラルアーツとは「正義」を学ぶものだという考え方が出てきますので、これは危険だと思うのです。リベラルアーツは、正義や正しさでなく、「尊厳（dignity）」と結びつくべきなのです。

現在私は、いろいろな研究仲間、特に西洋哲学、中国哲学の人たちと一緒に、この「尊厳」という概念を考えています。二〇二一年の三月には『東アジアの尊厳概念』という共著の本も出したりしておりますが、これはまだ論争の渦中の概念なのです。尊厳とは何なのか、西洋でもますますわからなくなっています。キケロが「ディグニタス」と言ったときには、ある特定の地位や身分にある人の持つ特権的な雰囲気を指したわけですが、一八世紀にカントが Würde と言ったときには、それは特別な人たちのものでなく、すべての理性的存在者が内在的に持つものであるとしています。そして、尊厳に対抗する概念は価格であり、価格によって価値づけされてしまうものと尊厳は全く違うとしています。すべての人間がもともと持っていて、価値づけされない、つまり価格で序列化されないもの、手段として扱われず、すべての人が目的として扱われるものがあり、それが人間の尊厳という概念だと言っています。

ここから戦後になって、世界人権宣言、国連憲章、ドイツの憲法第一条で人間の尊厳は不可侵であるということがうたわれ、日本国憲法にも尊厳という概念が出てきています。ちょっと脱線しますけれども、各国の憲法に書かれている「尊厳」を比較すると非常におもしろいのです。

日本国憲法では個人の尊厳です。「個人の尊重」という言葉が一番重要ですが、家族・婚姻を規定した二四条で「個人の尊厳」という語が出てきます。これはもちろん日本国憲法をつくるときに占領軍というかアメリカ側の概念が入ってきたもので、特に日本の家族制度において個人の尊厳を重要視しなくてはいけないという考えが強調されています。ドイツ憲法では第一条で人間の尊厳は不可侵であると言っていますが、日本国憲法では婚姻や家族を規定しているところだけで個人の尊厳と言っているのです。これに比べて、一九四八年につくられた大韓民国憲法では、ドイツと同じ「人間の尊厳」という言葉を使っています。

中華人民共和国憲法では、おもしろいことに「人格の尊厳」という言葉を使っています。

これが今のSNS社会に非常にぴったりの条文なのですね。先ほどの鳥飼先生のお話を聞いていて、私はスマホも持っていませんしSNSもできませんので、SNSで使われるべき相互性のコミュニケーション能力みたいなものがなく、日本語でも七技能使えないのだなと思っておりましたが、この中華人民共和国憲法の「人格の尊厳」というのは、要するに、何人も他人に人に誹謗中傷されることはないと言っているのです。いかにも体面を重んずる中国人の考え方ですよね。要するに、日本では今、SNSで自分の悪口などを書かれたとき法的にどうするのかが盛んに議論されていますが、中国では、そもそもそういうことをしたら憲法違反なわけです。学生が調べたところ、自分のいないところで、あるいは面と向かって誹謗中傷されないという人格の尊厳の条文は、文化大革命の後、中華人民共和国憲法に挿入されたのだそうです。ちょっと脱線してしまい、すみませんでした。

〈あいだ〉の発見

小倉　尊厳は個々人に内在するのかしないのかというと、カントは内在すると言いましたが、英米系の人たちのなかには、そのカントの考え方はおかしい、尊厳は関係性の概念で成り立つのだと言っているひともいます。ドイツでもヘーゲル的な承認の概念を重要視する論者は関係性を重視します。これについては今、主にドイツ系と英米系の間で哲学的に非常に激しい議論をしている最中です。

私が尊厳をどう考えるのかというと、関係性の概念として捉えています。真正性や自己正体性に正しさを見つけること、これこそが正しいのだと主張することがリベラルアーツであるべきではなく、すべての文明・文化・社会・共同体・個人と自分との〈あいだ〉に、「ここに尊厳が成り立つ」というものを「見つける」ことがリベラルアーツなのではないか。鳥飼先生も、韓国ドラマを見て、自分と韓国ドラマとの〈あいだ〉にすばらしいものを見つけていらっしゃいました。先ほど鳥飼先生は「尊敬」という言葉をお使いになりましたが、こんな異文化があるのかと、その人たちが生きていることに尊厳を見つける、すばらしいなという発見がリベラルアーツの真髄ではないかと考えます。

異質なさまざまなもの・こと・ひとに〈いのち〉を見つけ、育むことができるのが教養でありリベラルアーツです。リベラルアーツは勉強ではありません。残念ながら私の授業でも学生に朝鮮語を習得してもらいたくて一生懸命勉強させてしまうのですが、本当は勉強ではなく、生を多様化することなのだろうと思います。

三つの生命

小倉　ここには「生命」に対する私の考え方が介在しています。生命には三つの種類があると私は考えています。第一の生命は、生物学的生命、肉体的生命、医学的生命、個別的生命です。これは、すべての人、すべての虫、すべての動物が持っている、一つの個体に一つだけある生命です。日常的に人々はこれを「生命」と言っているわけです。けれども、本当はそれだけが生命ではない。

　第一の生命があまりにもはかなく終わってしまうので、そのことに気づいた人たちは古代から、霊的生命、絶対的生命、宗教的生命、普遍的生命という第二の生命について語ってきました。お父さんとお母さんからもらった第一の生命は有限だけれども、神を信じ霊・スピリットによって与えられた生命は永遠に生きるという考えです。キリスト教でいえばパウロの霊のいのちのように、大体どんな宗教でもどんな文明でもこの第二の生命を語っています。日本にキリスト教人口が少ないのはなぜかというと、私の考えでは、キリスト教でなくとも浄土真宗が永遠に生きる生命をちゃんと説明していたので、日本で一番門徒の多い浄土真宗がそこを吸収したのだろうと思っています。つまり、日本人にキリスト教的な永遠に生きる生命というものが必要なかったのではなくて、やはり人間はそういうものの何らかの説明がないとなかなか生きていけないわけですが、日本ではそれを浄土真宗が吸収したと考えていいと思います。

ただ、実はそれ以外にも第三の生命があるのです。美的生命、間主観的生命、偶発的生命、「あいだ」的生命と言っていますが、これをどういうものと思われますか。第一の生命、肉体的生命は、一つ一つのいのち、このもののいのち、それ自体のいのちです。第二の生命は、すべてのいのち、個別性を乗り越えるいのちです。そしてもう一つ、第三の生命というのがあって、それはあわいのいのち、たちあらわれるいのち、私と相手の〈あいだ〉にあるいのちです。私のいのちと相手のいのちだけでなく、その〈あいだ〉にいのちがあるわけです。

〈あいだのいのち〉としての第三の生命

小倉　私は今動物のことも研究しているのですが、動物のほうが人間よりたくさんあわいのいのちを残しているのかもしれません。動物から進化して人間になったと考えると、人間は第三の生命をかなり忘れてしまって、第一の生命だけがいのちだと思い込んでしまっています。例えば犬は、第一の生命が自分に一個だけあることは知らないと思います。では犬は何で生きているのかというと、飼い主と自分との〈あいだ〉にたちあらわれる第三の生命で生きています。散歩に連れていってくれると察知して喜んだりするのもいのちです。人間にもそういうものがあったにもかかわらず、だんだん忘れてしまっているのです。ただ、日本文学はそういうものを非常によく残していると思います。『源氏物語』にも出てくる「あはれ」という言葉は、第三の生命のことを言っているのです。源氏やほかの登場人物が「あはれ」と言うときは必ず、私とあなたの〈あいだ〉にいのちがたちあらわれたよ、という驚きを表現する言葉です。これに対して「をかし」というのは、いまいのちがたちあらわれる予感がする、その蓋然性が高い、という意味です。だから「あはれ」を多用した紫式部よりも、「をかし」を多用した清少納言のほうが知的に見えるのです。

この第三の生命が大切です。尊厳は、カント的な意味で人間に内在するのではなく、〈あいだ〉にたちあらわれるものなのです。私とあなたの〈あいだ〉、私と何らかのものの〈あいだ〉、さまざまなもの・こと・ひととの〈あいだ〉にいのちを見つけ、育むことが尊厳であると考えます。ベンヤミンだったらアウラとか、本居宣長だったらもののあはれとか、フランスのブルトンだったら痙攣とか、いろいろな言葉が使われておりますが、表現の違いがあるだけで、私に言わせればそれらはすべて第三のいのちです。

朝鮮語を学ぶに当たっても、朝鮮語を使う人々の文化・社会・世界観・文明・心性などとの〈あいだ〉にいのちをたちあらわすことができるかどうかが大切です。それがリベラルアーツでやるべきことであって、朝鮮半島に関することどもに対してどのように政治的に正しい認識を得るかではないと思います。リベラルアーツにおいては、性急に「正しく」ならないこと、ゆっくりといのちをたちあらわすことが非常に重要であると考えます。

これで終わります。ありがとうございました。

石井 小倉先生、どうもありがとうございました。非常に哲学的な思考の深まりを感じさせるご発表で、「あいだ」とか「いのち」とか、誰でも知っている日本語の概念を使いながら、リベラルアーツの本質を掘り下げて語っていただいたと思います。私も非常に刺激を受けました。

リベラルアーツを安易に考えると、多文化主義と結構結びつきやすいのですね。単一の文化、特定の文化だけに視野を限定してしまうことは危険である、だから多様な文化に目を向けて、複眼的に世界を見なければならない、というのが今のトレンドですから。しかし小倉先生がおっしゃっているのは、リベラルアーツが特定の理念と結びついて「正義化」してしまうことの危険ということですよね。つまり、特定の文化の称揚に結びつくことがエスノセントリズム的な危うさをはらんでいるのと同様に、「多文化主義」もまた、それ自体が反論を許容しない排他的なイデオロギーとして、すなわち唯一の「正義」として措定されてしまうと、そこにもまた権力的な構造が出来《しゅったい》してしまう危険があるということだと思います。これは非常に重要なご指摘ではないかと思いました。

そして小倉先生はさらに「尊厳」という概念を提示され、これを〈いのち〉に結びつけて、〈あいだのいのち〉という斬新な考え方に結びつけられました。このあたりの議論はかなり哲学的で、短い時間で深めることは難しいのですが、あえて単純化して今日のテーマに結びつければ、外国語とはまさに母語が異なる者どうしの「あいだ」をつなぐことで、鳥飼先生の言う「異質性との対話」を可能にし、人と人とのあいだに「尊厳」を出来させるものですから、その意味でお二人の発表はつながってくるのではないかと思いました。

それと、今は確かに英語だけでいいという動きが大学でどんどん広がる傾向にありますね。いわゆる「第二外国語不要論」ですが、この議論が出るとき必ず持ちだされるのが「実用主義と教養主義」の対立です。日本人は何年英語を勉強しても英会話がうまくならない、だから文学作品を読むといった「教養英語」ではなく、もっと会話中心の「実用英語」をやらなければいけないという議論がしょっちゅう出てきます。ただ、考えてみますと、われわれは日本語について、「実用日本語」と「教養日本語」というような分け方は普通しませんよね。つまり、言語がそのように二つに分けられるという発想そのものが間違っていると私は思うのですが、最近は、「論理国語」と「文学国語」でしたか、あたかも二種類の国語があるような区別が教科書に導入されたりしまして、人々の中で「実用」と「教養」が二律背反的なものとして捉えられている。そんな対立は人間が後からもちこんだフィクションであって、言葉の中にはもともとそんな区別は存在しないわけですね。言葉とは常にそうした二重性、あるいは重層性をまとった存在であるといったことも考えながらお聞きしておりました。

では続きまして、ロバート キャンベル先生にお話しいただきたいと思います。

ここに居ない者たちの声に耳を傾ける時……………ロバート キャンベル

キャンベル　ありがとうございます。先ほどのお二人の先生のお話を聞きながら、私は生涯にわたって教育・研究に携わってきていますが、これほど根源的にリベラルアーツというものを考え直す機会を与えられたことはなかったなと思っておりました。特に私は二〇二一年三月まで大学共同利用機関である国文学研究資料館というところで館長をしており、一種の文教管理・運営・企画調整に携わっていましたので、自分が根源的なことを考える現場からちょっと離れていたことにはたと気づくことができました。

今日のお二人のお話は本当に示唆に富むもので、大変勉強になりました。小倉先生のお話の最後のほうには、とても素敵な力強い言葉がありました。リベラルアーツとは正義を学ぶものではなく、尊厳を見つけることであるとおっしゃいました。正しさを追求し、私たちの言動や政治的な判断に実用的・応用的に直接そのまま即戦力となるようなものではなく、人々の一人一人、存在と存在、その実存の間にたゆたうようにある尊厳に気づく一つの方法としてリベラルアーツはあるべきという規範を示してくださいました。それを聞いて私は、納得する部分があるのと同時に、違和感を覚える部分もありましたので、そこから今日の私のお話を軌道に乗せたいと思っております。

私は、これは基本的に二元論で考えることではなく、正義を見つけることと存在の尊厳を見つけることの間には、一つの橋渡し、あるいは桟橋のようなものがあると考えます。尊厳が見つかったとして、その先にある存在が、歴史的なさまざまな状況や偶然や心理的あるいは身体的な条件でみずからのポテンシャルを発揮できない場所にいたとき、これはマジョリティ／マイノリティということともかかわってくるわけですが、リベラルアーツを学ぶことを通して、尊厳のありようの理解とともに、人々と渡り合い、場合によっては手を差し伸べ、あるいは助けを呼び、それによってみずからを相対化させる、自分が何者であるかに気づくということがあるわけです。

特に今日は外国語について考える会ですが、経歴を読んでいただくとわかりますように、私は日本語が母語ではなく、私にとっては第三外国語であったわけです。それを学ぶことは、鳥飼先生が最初におっしゃったように、まさに異質性の塊にぶつかって、分け入って、こすって、少しずつ扉をこじ開け、その真ん中にみずからが立つという経過をたどったというか、私はそういう人生の時間を過ごしてきたように思います。

パブリック・ヒューマニティーズの流れ

キャンベル　このたび中部大学に創造的リベラルアーツセンターが設立されたのは大変すばらしいことですし、今日はぜひそれを記念する言葉をと思っておりますが、私が考えていることとして、英語で Creative Liberal Arts と訳されている「創造的リベラルアーツ」が、当然 creative であると同時に、これもまた二元的、二項対立的に考えるべきではないこととして、public でもあるようぜひ要望したいと思うのです。私たちの public life ――これは「パブリックライフ学」というものがあるぐらいで、なかなか日本語に訳しづらいのですが、さまざまな社会空間、社会的な結びつき、関係性の中で生きる私たちの時間、人生の重要な部分とリベラルアーツをどのように結びつけるのか。そして、その接点をいかに見出し、そこに原動力、インセンティブ、モチベーションを見出していくのかということについて、今日は考えてみたいと思っています。

私は、ご紹介にもありましたように国文研の館長をし、東京大学の名誉教授でもあり、今も研究生活を送っているわけですが、一方では、さまざまなメディアの中で時局・時事に対して意見や観測を申し上げ、場合によっては取材をして言論活動にかかわっている側面があります。そういう私の今まで歩んできた経緯の中で、尊厳に対すること、それから正義、特に社会正義（social justice）を考えるとき、教養として純粋にそこにある意味や価値は実社会に結びつくものではないという絶縁のようなもの、お互いに警戒し合うような関係性といった一つの思考法が戦後から現在においても日本の大学の中にあることに、やはり年々違和感を覚える次第です。

アメリカのリベラルアーツの状況を特にここ六～七年見ていますと、これはフランスにおいてもイギリスにおいても同じ方向を向いていると思いますが、humanities と public life そのものを分けて考えるのではなくて、鳥飼先生は「相互行為」という言葉を使われましたが、public humanities、できるだけ相互的にインタラクティブに考えていこうということ

とが一つの方向として立ち上がっているように思います。イェール大学のピーター・ブルックスさんも『ヒューマニティ・アンド・パブリックライフ』というものを書いています。

人文科学と社会正義

キャンベル　このように humanities と public life を直結させてぶつけ合わせることの背景に、一つはＩＴの進展があります。例えば、私たちのさまざまな取引の決済に使われる PayPal というアプリをつくって巨万の富を築いたピーター・ティールという方がアメリカにいらっしゃいますが、この方は、数年前にティール基金というものを立ち上げ、在学している大学を中退して起業する若い人に対して一〇万ドルの助成金を与えるフェローシッププログラムをつくっています。この前提にあるのは、大学で学ぶことが創造的な発想や実際に人々のさまざまな課題解決につながるイノベーションを阻害するものであるという考え方です。大学に入学した人ではなく、大学を途中でやめる人、能動的・自律的に中退する人を対象にしたというのは極めて興味深いことでした。

こういったことに対して、public humanities を主張する研究者たちは、ちょっと待ってくれと訴え、人文科学は、イノベーションや人々の貧困や差別といったさまざまな課題、あるいは周りに可視化されないものの中でポテンシャルを発揮できずにいること、こういう言葉は私はあまり好きではないのですが、正確に言うと社会全体の生産性といったものと実は無縁ではないのだということを、基礎文系科学的な問題として取り上げようとしています。私はどちらかというと、この数年の間、先ほど小倉先生のお話にもありましたけれども、即戦力や応用的な学びとは最も対極にあると言われる古典日本文学のような領域から public life あるいは社会正義といったことを考え、少しずつその考えを深めるようにしております。

ジョージ・フロイド事件の波紋

キャンベル　二〇二〇年五月、アメリカのミネソタ州でジョージ・フロイドさんという黒人男性がショーヴィン氏という白人警官によって殺害され、不慮の死を遂げるという事件が起きました。これに対して、アフリカ系アメリカ人をここでは黒人と呼びますが、それ以前からアメリカにあったＢＬＭ（Black Lives Matter）という大きな黒人たちによる運動、一つの社会的な呼びかけによって、火がついたようにイギリス、フランス、日本といったさまざま国においてさまざまな人々の行動を促し、コロナ禍の中でも大変大きな社会的出来事になったわけです。

今日私は、このフロイド氏の事件を一つの入り口として、人文科学あるいはリベラルアーツを学ぼうとする若者がそういったことを他者の出来事としてどう理解し共感し得るか、不条理な死を遂げたような人々の記憶をどのようにとどめ、共有し、検証するのかを考えてみたいと思います。鳥飼先生が最初におっしゃいましたように、実はここには、言語によって、言葉によって、文化によってかなり大きな違いがあります。ですから私たちは、「複言語主義（plurilingualism）」で外国語を学び、さまざまな場面の中で言葉を変え、縫い目を減らしながら理解し伝え合うことによって初めて気づくことがあり、リテラシーを上げることができるわけです。現在の時局・時事にかかわる話ではありますけれども、一つのとっかかりとして今日はこれを提示したいと思っております。

フロイドさんが亡くなって数カ月後、アメリカ各地では、さまざまな公共の場所で、花が手向けられたり、絵が描かれたり、あるいは記念の音楽イベントがおこなわれたりしていました。無名の一人の黒人の名前、声、そして形がいろいろなところで表象され、描かれるということがコロナ禍の中でも起きました。

今お見せしている写真は、ご存じプロのテニスプレイヤーの大坂なおみ選手の姿です。大坂なおみ選手は、昨年九月にアメリカでおこなわれた欧米オープンの前哨戦、ウエスタン・アンド・サザンという試合に出たのですが、大会中にまた別の白人警官が黒人男性を銃殺するという事件が起き、それを受けて準決勝への出場を見合わせ、欠場を発表するということがありました。そのために大会が一旦中止にもなりました。これは日本でも大きく報道され、彼女に対して、日本のSNSやいろいろな報道の中では、スポーツと政治的な運動は関係ないのであって、スポーツ選手なら優勝した後の記者会見でもそういうことを言うべきではないといった論調がありました。しかし、彼女が勝ち抜いて優勝しますと、日本だけでなくアメリカでも全世界でも、小さな彼女の声が大きなものを動かしたと、手のひらを返したように賞賛の声が降り注ぎました。試合に出るたびに彼女は警察に殺害された黒人の名前が白抜きで一人一人書いてある黒いマスクをし、試合の後の記者会見でそれぞれ説明していました。永遠に声を失った人々の名前を、せめて自分の口を覆うためのマスクの上に乗せ、その人の存在、その人がいたことに多くの人々が思いを致し、瞬間的であれ会話の一つのきっかけになればということを言ったわけです。

無名の死者たちと報道

キャンベル　この一年間、多くの方々が、暴力によって、紛争で、あるいはコロナ禍で命を落としています。特にこのパンデミックの中で、孤独を抱え、家族や絆を持つ方々と離れて苦労をし、苦しみ、亡くなっています。COVID-19によって、この一年間で、アメリカでは六〇万人近い人々が命を落とし、インドでは三二万人、日本でも一万三千人もの人々が亡くなっているのです。そういう状態の中で、失った命を、それこその尊厳をどのように顕在化させるのかということが、世界共通の一つの表現の問題としてあらわれているように思います。例えば、この一年間の世界のさまざまな報道を見ていますと、これはちょっとまだ判断するには早いかもしれませんが、報道の仕方として、亡くなっても取り立ててニュースにならない、著名人ではない、何か成果を残して世を去ったわけではない人々に関して一分の記憶、一分の気づきを与えるさまざまな方法が、もちろん日本語の中にもありますけれども、ほかの言語の中でも模索されているように思います。

例えば、私は英語、フランス語、ドイツ語の新聞に目を通すのですが、たまたま二カ月ほど前、『ラ・クロワ』というカトリック系の新聞の中にハッとする見出しの記事がありました。日本語に訳しますと、「二〇二〇年、五三五人の路上死亡者たちの名簿」(二〇二一年三月三〇日の記事)となります。電子版ですが、一面にリストが出ていて、これが報道なのかと思ったわけです。

フランスでは、これは日本の社会保障制度の中にはないのですが、住居を前提としない場所で直近三カ月定住して亡くなった人々のことをMorts de la rue（路上死亡者）といいます。地下鉄の踊り場とか、公共施設の庇《ひさし》の下とか、公園とか、パーキングエリアとか、そのような場所で少なくとも三カ月暮らし、日々を送り、そこで亡くなった人のことをいいます。路上死亡者というくくりをつくって統計をとっているのですが、二〇二〇年にはそういう方々が五三五名いたというわけです。

この記事には、そこにhommage（敬意）と書かれていることからもわかりますように、意図があります。日本でいういわゆるホームレスなので、多くの人たちは知ることができないため、その人たちの存在をみんなで知りましょうということでこの報道がなされているわけです。まずは短い解説をおこない、その人たちの平均年齢が四九歳で、男性が四九一人、女性が四四人おり、その中に五歳の子供が一人含まれていたといったことを書いています。そして、お見せしておりますように、月ごとに一月から一二月まで、フランス全土で路上で亡くなった人々の名前、年齢、亡くなった日付、性別といったことが続きます。それがわからない人たちについては、「正体不明の女性（Une femme non identifiée）」などと書いてあります。これがずっと延々と続くわけで、日本の大手メディアに寄稿することもあり、もちろん毎日購読して読んでいる、つまりその中に浸っている私のような者からすると、こういう捉え方自体がかなり斬新だったといいましょうか、これが報道になるのか、どのようなことなのかと思いました。

メモリアルをめぐって

キャンベル　この新聞には、記者みずからが取材に基づいてつくった動画も入っています。五三五名というおびただしい名簿の中から三名を取り出して、亡くなった現場を取材し、その一人一人の現実を捉えながら、取材したことで今は存在しない風景をアニメーションで描き加え、実写と再現を一緒にして動画に仕立てています。これはパリの郊外で暮らしたジーマという女性です。小屋を建てて暮らしていて、この中で亡くなったということです。もともと移民だったイスラム系の彼女にはこういう椅子があって、日傘を使っていました。髪の色や人々とのかかわり。そして、ちょっと似顔絵のようなものも描いています。亡くなったジーマという女性のことを淡々とそこに描いているのです。ブリスという男性は、公共施設前の地上階に住み、古本を売っていました。いろいろなところで古紙回収をして、そこから売れるような雑誌を取り出して売っていたということです。このように、拡張された現実といいましょうか、取材に基づくものを混ぜる形で再現して報道しております。

これはフランス語で書かれているわけですが、翻訳すれば、日本語話者、英語話者、韓国語話者にも理解することができます。ただ、私にとっては、こういう報道の仕方、人々のありようを捉えるまなざしに違いを感じ、自分の今生きている日本の社会、あるいは自分が生まれ育ったアメリカの最近の政治的状況、public life の状況などに思いを致したということがありました。私は先月「キャンベルの四の五のＹＯＵチャンネル」というYouTube チャンネルを立ち上げ、今日のお話についても短い動画をつくっておりますので、ご関心のある方はぜひ見ていただきたいと思います（二〇二一年四月二七日の投稿動画）。

このように、「メメント・モリ（memento mori）」という言い方もしますけれども、亡くなった人々のメモリアルについて、この一年間、さまざまなニュースがありました。二〜三日前には、イギリスのガーディアン紙に、今内戦で大変な状況にあるシリアの北部、ホワイトモニュメントと言われる有名なモニュメントが、実は紀元前三〇〇〇年前の戦で亡くなった人々に向けた一つの戦没者記念施設ではなかったかという近年の研究が大きく取り上げられました。ちょっとサイドストーリーですけれども、人々の苦しみや死を記録し、それを共有することによって、みずからの立場、あるいは公共に対するさまざまなあり方を自分はどう判断するのか。変えようとアクションを起こすのか。そこに一つの縫い目のない、二元論では語れない線があるのではないかと私は思います。

感染症と日本古典

キャンベル　私の専門は江戸時代でありまして、特にこの一年間は、感染症と日本古典についで考えることが多くありました。例えば、北斎が八六歳のときに描いた、さまざまな感染症を退治するための図です（《須佐之男命厄神退治之図》［一八四五年］）。関東大震災で焼けてしまったのですが、すみだ北斎美術館に行きますと、今はすばらしい複製があります。感染症を鬼たちに仮託し、いわば病気を擬人化しています。もともとは東京の牛嶋神社にあった大変大きな絵馬で、苦しんでいる自分の家族や自分の周りの人たちが癒えるように、治るように、またかからないようにと人々が手を合わせる、まさに霊的な存在の一つの証だったと思います。

江戸時代の人たちは、感染症で人々が亡くなることを、ある意味日常の風景として、日常的、継起的、周期的に起こるものと捉えていました。しかし、幕末に入りますと、近代のジャーナリズム、報道に近い捉え方がさまざまなメディアに見てとれます。

例えば、一八五八（安政五）年にコレラが江戸を襲いました。これは大変大きな疫病で、一二万人以上の人々が命を落としたと言われています。そのときには、『箇労痢流行記』

という一つの読み物が書かれています。「箇労痢《ころり》」というのはコレラのことですが、多くの庶民がこの読み聞かせをし、現在周りでどういったことが起きているのかを知り、備える、あるいは弔うことの一つの情報源としたわけです。仮名垣魯文という人の作品で、非常に広く読まれました。これは公文書ではなく、人々が身銭を切って読み物として買って共有した、当時としてはpublic lifeを支える大切な一つの文献であったわけです。

日本の公教育の中では、このような文面といいますか、こういう文化が教えられることはほとんどなく、ごく最近まで活字になっていなかったので日本人でもアクセスすることができなかったわけですが、実はこの中に、どこに住んでいるどういう人たちがコレラで亡くなったのかということが、非常に克明に崩し字で書かれています。読み進めていきますと、先ほどの『ラ・クロワ』という新聞にあったのと同じように、男性であるか女性であるか、目が見える人であったかそうでないか、僧侶であるのか俗家であるのかといった、コレラで倒れた人々の属性がさまざまに書いてあります。これは人種的あるいは階層的な他者ではなくて、われわれにとっては時代的な他者ですね。

繰り返しになりますが、リベラルアーツはcreativeであると同時にpublicであってほしい。私たちが市民として生き支え合えるように、人々のポテンシャルを認め合う社会に近づくように、そして、尊厳を見つけると同時に、正義という言葉は避けますけれども、人々がさまざまな社会資本に等しくアクセスでき、一人一人の能力や持ち場やさまざまな状況に応じて変化・変革できるようにするためには、外国語を学び、広くリベラルアーツに浸ること、まさに涵養することが、不可欠な一つの方法だと私は思います。

では、そろそろ時間が切れますので、このあたりで私のお話をおしまいにしたいと思います。ありがとうございました。

石井 キャンベル先生、どうもありがとうございました。Creative Liberal Arts に、さらに public な要素を、という貴重なご提言をいただきました。public humanities という言葉もありましたが、大変重要な視点をご指摘いただいたと思います。

今のお話は、無名の死者をどう弔い記憶するか、「亡き者」への思いを人々がどう形にしてきたかということで、ちょっと考えると「リベラルアーツと外国語」というテーマとはあまり関係がないように思えるかもしれませんが、「ここに居ない者」たちの存在に思いをはせるというのは、小倉先生言うところの「他者の尊厳」に対する想像力の問題であり、想像力とはまさに「自己の限界」を越えて「あいだ」をつなぐ、他者とつながるための能力であると考えれば、小倉先生のお話と呼応すると同時に、リベラルアーツの概念とも密接な関係があると思いながら聞いておりました。

また、「もはやここに居ない者」との対話はもちろんむずかしいわけですが、「いま、ここに居る者」との対話も決して容易ではありません。だからこそ、私たちはいろいろな言葉を学んで対話の可能性を広げなければならないわけですが、英語を母語とするキャンベル先生がフランス語や日本語の文献を読み込んで日本語でこのような話をなさるということ自体が、まさに鳥飼先生のおっしゃる「複言語主義」のあざやかな実践であるとも言えますよね。したがって、決してこじつけではなく、今の話はお二人の話と響きあいながら、本日のテーマを実践的に展開してくださるものであったと思います。

そしてまた、「ここに居ない者たちに耳を傾ける時」というタイトルの意味もよくわかりました。つまり、空間的に隔たっている者同士の間をつなぐものとして外国語があるとすれば、時間的に隔たっている者同士の間にもやはり対話が成り立つはずであるし、成り立たせなければならない。ではそれはどのような言葉をもってするのか。これまで存在していた者たち、かつてここに居た者たちの思いをどう言葉にしていくのか。それは文化によってさまざまな形をとるといったお話でした。

そこで私が少し思ったのは、「ここに居ない者たち」というのはおそらく、「かつてここに居た者たち」だけではなく、「まだここに居ない者たち」、つまり「未来にここへ誕生してくるであろういのち」でもあるのではないか。そうした未来の「いのち」との「あいだ」に対話を成立させるためにも、やはり私たちが言葉を練り上げ、積み上げていくことが何より重要であるという感想も抱きました。どうもありがとうございました。

言語と言語を往還する

石井 参加者の方々からいろいろなご質問をいただいているので、できるだけたくさんの方にお答えしたいと思うのですが、まずその前に、ほかのお二人の話を聞いて、その話に対するコメントや質問といったことがありましたらひとわたり伺って、それから参加者の方の質問に移りたいと思います。

鳥飼 キャンベル先生のご意見は初めて学ぶことも多くて、なるほどと思ったのですけれども、一つだけ、小倉先生が問題提起なさったことに、私も意見を加えたいなと思った部分があります。複言語主義について、母語しか使えない人は価値が低いのですかとドビルパンさんに問題提起をなさったら、さすがフランスの首相だけあって、一つの言語だけ話す人を低く見ているわけではない、重要なのは詩なのだというお答えだったとありました。これは私、大変重要な指摘だと思っておりまして、私の話を聞かれた方の中にも「じゃあ、英語もろくにできなくて日本語しかできない私はだめなのね。人生も豊かではないんだね」と思われる方がおられたら、これは誤解ですので、ちょっとそこを明らかにしておきたいと思います。

複言語主義というのは、別に自分の母語以外に二つの言語をマスターしなさいと言っているわけではなくて、学ぼうとすることで新しい世界を見ようということを言っているのですね。しかも、「外国語」ではなくて「母語以外の二つの言語」と言っていますから、自分の母語以外であれば、自国の少数言語や方言でもいいわけです。例えば、東京生まれ東京育ちの私は、東北へ行くと、東北の方たちの話す日本語はよくわからないのですが、聞いているうちにそういうことなのか、と少しずつ学びます。また、沖縄に行くと、全く知らない言い回しを耳にして、琉球語という言語の存在に気づかされたりする。それでいいと思うのですね。

日本人であれば、大抵の人は中高で英語をある程度やっていますから、好きか嫌いかはともかくとして、すでに一つ、母語以外の言語と接しているわけです。ですから、あともう一つ、何か自分の母語以外の言語を学びましょう、ということです。これはかなり広く捉えていいと私は考えていまして、例えば、歌舞伎の世界の言葉であるとか、漫画の世界の言葉であるとか、自分の分野以外の言語など、複言語主義というときの言語にはいろいろあると思っています。この点についてどのようにお感じになるか、複言語話者であるロバートキャンベルさんにも伺えればと思います。

キャンベル　鳥飼先生、ご質問をありがとうございます。

私が一つ複言語主義という概念をとてもおもしろいと思うのは、行き来する、往還する言語から言語への動きをとても重視するプラクティスであるというところです。私は、もちろん英語を使う場面もありますし、読むことも書くこともありますが、基本は日本語でアウトプットをし、生活者として、仕事する人として日々日本語を用いて生きています。その中で、英語と日本語、時々フランス語もですけれども、そこへ行って帰ってくることを、それぞれの言語をある能力（proficiency）でもって運用することとは別の、もう一つの能力、第三の能力のようなものとして感じています。これは響きはいいのですが、いみじくも先生がおっしゃったように闘いであって、なめてかかれない部分があります。でも、そのように行き来をすることによって、どちらか片方の言葉の中だけでは相対化できない部分が、そこからあらわれてくるように私は感じます。

ですから、先生がおっしゃった「相互行為（interaction）」や「仲介（mediation）」というのは、実は今日の私の話のかなり心臓部にかかわるところでもありまして、私たちがリテラシーを持ち、入ってくる言葉が本質的なことなのか、それとも操作されたフェイクであるのかを見分ける、聞き分ける、読み分けることができるかというのは、言語間の問題だけでなく、一つの言語の中、日本語なら日本語の中に存在する問題でもあると思っているのです。これは、石井先生がおっしゃったように、これから育とうとする、生まれるであろう人々にとっても、ますます重要な社会的課題になると思います。

「寛容な社会を実現する」?

キャンベル　複言語主義のいう言語というのは、外国語だけではなくて、私が最後にちょっと提示しましたように、時代的他者、ここには居ない異なる時代の人々が残した言葉であったり表象であったりもします。それらと対話をすることによって、みずからが空気のように当たり前だと思っていた条件に気づく、あるいは相手に思いをはせることができる、そういう唯一の方法がリベラルアーツだと私は考えております。

最後にもう一言言わせていただきますと、先生が最後に「共感」と「寛容」ということをおっしゃったのが大変興味深かったです。すみません。私ちょっとあまのじゃくで、お言葉を返してしまうように聞こえるかもしれませんが、「共感」も「寛容」も、この言葉が出てきますと、私にはかなり黄色信号がともるのです。

「共感」については、確かな根拠があるとか、共通理解が得られるデータやファクトに基づくとき、共感が人々を救うこともありますが、そうでなく紛争や暴力のもとになることもあります。ですので、私はどちらかというと反共感論者なのです。ポール・ブルームという哲学者が数年前に書いた『反共感論』という本が日本語にも翻訳されていますけれども、共感そのものを目標とすることに対して、私は警戒心を抱きます。

もう一つの「寛容」という言葉について、先生のお話を聞いていて本当に助かったと思ったのは、英訳として tolerance という言い方を使ってくださったことです。これは非常に重要で、われわれが忘れてはいけないのは、「寛容」も tolerance も、相手に落ち度があり、罪過があるけれども、その罪過をとがめだてせず、大目に見て許すという意味があることです。日本語の国語辞典にもそうありますし、tolerance は基本的にキリスト教の文脈の中で生まれた一つの概念であり言葉です。

ここであえて言わせていただきますけれども、今の日本の政治機構、特に今の与党がさまざまな政策を立てるとき、「寛容な社会の実現」という言葉をよく持ち出します。私はＬＧＢＴの当事者でゲイの男性ですが、昨日もニュースに出ましたように、オリンピック開幕までに法制化を目指していたＬＧＢＴ理解増進法が廃案になりました。それはなぜかというと、野党が「差別は許されない」という一言を入れたがために紛糾し、同性婚につながるし、訴訟が増えて窮屈な社会になるからいけないということになったわけです。この法案の最初の文章を読みますと、目標として「理解が深まり寛容な社会を実現するため」と書かれています。これは今日のテーマからかなり外れますのでほどほどにしますが、「寛容な社会」と言ったとき、その先方、相手の人たちに何か落ち度があるのか、とがめだてせずともよいと捉えられなければならないことがあるのかというと、私はまず当事者として、そのような事実は何もなく、さまざまな社会資本へのアクセスをよくして豊かにしていくことが最終的な目的としてあるのならば、「寛容な社会を実現する」ということが、まずまことにずれていると思うわけです。

そういう意味で私は、基礎文系科学の塊のような人間であると自負し、リベラルアーツを推進してはいるわけですけれども、一方で、「共感」であるとか、「寛容」であるとか、あるいは、これから小倉先生のお考えを伺いたいと思うのですが、「正義」という概念やプラクティスを欠いたままの「尊厳」がどのようなことなのか、やはりこれは議論しなければならないと思うのです。私は一つの正解があると思っているわけではありませんので、議論する場としてリベラルアーツが必要だと思っております。

「正しさ」を議論する

石井　今のお二人のやりとりを受けて、小倉先生、いかがでしょうか。

小倉　まず、今の鳥飼先生からのお話にちょっと応答したいと思います。ドビルパンさんの講演が全部収録された本を読み返してみますと、「言葉の渡し守は平和の渡し守でもある」ということをおっしゃっていて、こういう言葉に対して、そのとき私はちょっと反応したわけですね。では言葉の渡し守でない人はどうなってしまうのかということで、そこのところをドビルパンさんに一つ質問したわけです。

それから、例えば謡曲をつくった世阿弥は日本語しか知りませんでした。もしかしたら中国語の世界を知っていたからああいう世界をつくりえたということはあるのかもしれませんが、中国語的な世界観もすでに日本語になっていたわけですので、結局日本語しか知らない人たちがつくった文化なのです。あるいは、石牟礼道子さんが言葉を収録した水俣の人たちは英語もフランス語も知りません。そういう人たちの世界観も重要なのですね。ですからもう一つ、ドビルパンさんも「他者の尊厳」という言葉を使っていらっしゃったので、「他者の尊厳」といった場合に、文化的な多元性とか多極的な世界観とかおっしゃるけれども、複言語を使用する人たちが他者の文化を取捨選択し、これはいい文化だ、これはよくない文化だといったことが起きることに対してはどうなのでしょうという質問をしたのです。かなり意地悪な質問だったとは思いますが、ドビルパンさんはすばらしい政治家でもありますので、うまく答えられたということかと思います。ただし、疑問は残るところです。

それから、キャンベル先生に対する応答として、キャンベル先生が見せてくださったホームレスの人たちの事例などは、私の考えでは全部「尊厳」です。私が「正義」をわざと避けようとしているのは、朝鮮語あるいは朝鮮・韓国に関することというのが、恐らく日本の人文学の世界では最も性急に、せっかちに「正義」と結びつく分野だからです。要するに、どれが正しい歴史認識であり、どれが正しくない歴史認識であるかということと、あまりにも性急に結びついてしまう。その性急さをちょっと緩和しましょうということなのです。

例えば、戦前にマンガンの鉱山で労働者としてこき使われた人たちは、ただかわいそうだと見てもらいたいのではなくて、自分たちの労働、マンガンを採鉱する作業がどれほどすばらしい仕事であったのかを見てほしい。私は、この前者を「正義」、後者を「尊厳」

と言っているわけです。性急に正しい／正しくないを分けるのは、「人文学（humanities）」としてはあるのかと思いますが、リベラルアーツの世界では、もうちょっと自省するというか、我慢をしたほうがいいのではないかと考えます。

石井　どうもありがとうございました。

二つの文化の境界線を意識する

鳥飼　ちょっと一つ加えてもいいですか。欧州評議会は、かなり素朴な考え方から複言語主義を始めているのですね。例えば、初期には「多様な言語と文化の豊かな遺産は価値のある共通資源であり、保護され、発展させるべきものである。その多様性をコミュニケーションの障壁から相互の豊穣と理解の源へ転換するには、教育における多大な努力が必要である」と言っていて、ここから始まっていることは踏まえておいたほうがいいのかなと思います。ただし、monolingual、一言語しか話せない、母語しか話せない人についてどうかという問題提起は、常に念頭に置いておくべきだと思います。

もう一言だけ加えさせてください。キャンベル先生がおっしゃった「共感（empathy）」

というのは、確かにおっしゃるように、実際には難しいのですね。empathyを「感情移入」と日本語訳すれば、その難しさがわかります。通訳者は発言者の身になり切って通訳をするわけですが、相手の身になるなどということは、普通は人間にとって無理なので、これは言ってみればきれいごとども言えますし、可能だとして現実にそうするのが良いことかどうかという懸念もあります。ご指摘のようにPaul Bloom, *Against Empathy* (2016)で、「共感（感情移入）」の陥穽を説明していますし、ミハイル・バフチンも対話を阻害するとして批判的です。そういう意味で、次に出てきたのがtoleranceという考え方です。これを日本語訳するときに「我慢」としてしまうと、我慢しなければいけないのか、となるので、「寛容」という訳語を使っています。

この日本語の「寛容」の中には、キャンベル先生がおっしゃるように、とがめだてしてもしょうがないから許してやるか、大目に見ようかといった意味もあり、確かに「寛容な社会」という表現には問題があると思います。ただ、異文化コミュニケーション研究で「寛容」というときには、相手の身になることが難しいのならば、せめて互いの差異を許容し合いましょうという意味で使います。ある文化では常識とされていることが、違う文化から見たら非常識かもしれない。二つの文化の境界、常識と非常識の間は非常に曖昧で、その曖昧さを許す度量が互いに欲しい、といった意味でその言葉が出てきているのですね。

とはいえ、今のＬＧＢＴ法案などで出てくる、しょうがないから寛容な社会ということで許しましょう、自分たちが正しく、あの人たちは間違っていておかしいのだけれども、でもちょっと寛容になってあげましょうというような上から目線は、やはり違うと思います。言葉は難しいですね。ではどういう言葉を使うと本当の相互理解に近づいていくのか。「思いやり（compassion）」ならどうなのか。これからもう少し考えたいと思います。

会場からの質問

石井　ありがとうございます。「共感」「寛容」「正義」「尊厳」といった今話題に出たさまざまな言葉も、われわれは同じ日本語を使って議論しているのに、それでもこれだけずれがあるし、いろいろな疑問が湧いてくる。でも、だからおもしろいわけですね。つまり、たがいに疑問をぶつけあってずれを埋めるためにこそ対話があるわけで、今日は外国語をテーマにしていますが、図らずもわれわれは今まさに日本語でリベラルアーツをやっているのだなという感を深くいたしました。

では、質問が二十幾つ出ていますので、できるだけそれに一通りお答えした上で、また議論ができればと思います。

――鳥飼先生への質問　私も多言語主義やＣＥＦＲなどは大変重要だと認識しています。一方で、やはり先生のおっしゃるように、それらを日本社会が非常に形式的に受容し、その結果、ますます日本の語学、教養、リベラルアーツ教育が混迷していると思います。こうしたことは日本社会における外国文化受容において長い間、そして深く根づいた形で続いていることと思います。この点について今の自分は教員・研究者としてただ立ちどまるばかりで、どのように考えるべきか答えが見つかっておりません。こうした点についてどのようにお考えか、お教えください。

鳥飼　教育者・研究者として、どうしたらいいのかというのは大きな問題ですが、複言語主義はヨーロッパで生まれた考え方で、それを受容するにあたっては日本のコンテクスト抜きには語れないので、今の日本の状況を踏まえた上で、どのようにしたらリベラルアーツが根づくか、ということなのだと思います。今は混迷状態にあるので、根づくのか、というと難しいのですが、外国語教育に関しては、日本人にはどのような学習がふさわしいのか、日本人に向いた教育方法があるのかということに、もうそろそろきちんと向き合って考えても良いのではないでしょうか。外国で生まれ外国で広まった外国発の外国語教授法あるいは英語教授法が必ずしも日本人に適しているとは思わないので、その辺は考える余地がありますし、学習者の個別性も考慮に入れなければなりません。でも、何より重要なのは、日本人が英語を学ぶ目的は一体何なのか、ということでして、これを考えていただきたい。そこはやはり教育者・研究者から始めないと、今の流れをそのまま受け入れてしまうことになりかねないのではないかと思っています。この辺はむしろ私よりもキャンベル先生、小倉先生のご意見を伺いたいと思います。

――キャンベル先生への質問　第一に、第三外国語として日本語を学び、古典日本文学を専攻される過程で、言語の相対化だけでなく、文化・社会の相対化は容易でしたか。異質なものを理解するために努力されてきたことはどのようなことですか。第二に、ご自身が研究活動のみならず言論活動をおこなわれる過程で、母語だけでなく複数の外国の言語を使えること、特に外国語としての日本語を使えることは、比較文化・比較社会の視点に基づく考察をしたり社会背景を分析し発言されたりする上で、どのように学術的・社会的に有効であると認識されていますか。

キャンベル　私のつたない言葉を聞きながら、それを非常にまとめて返していただいたようなご質問で、ありがとうございます。

外国語を学習する人によって、学習環境であるとか、目標であるとか、年齢もかかわるのかもしれませんけれども、たまたま私は、どこかで悲壮な決意を固めて外国文化や外国語に当たっていったというような記憶や印象はそれほどないのですね。

日本語というのは、本当に一つとしてすべてを捉えることができない言語です。まず、書記言語と発話する言語がかなり乖離しています。書き言葉と話し言葉がすごく違うだけでなく、書くこと自体、アルファベットを二六文字覚えるよりはるかにさまざまな記憶、時間、努力を必要とします。でも、学ぶことによって漢字が読めるようになり、漢字仮名交じり文を読むことによって自分も少しずつそれを書けるようになり、書くことによって発話が豊かになっていくということを経験してきました。一つ、また一つと重層的に深いところへ進み、ジェスチャーなども含めて、言葉の表層にあることだけでなく、人と渡り合えるような、情報の交換だけでない情動的な結びつきといいましょうか、まだ工事中ではありますけれども、少しずつそういうリテラシーを高めてきたように思います。

この質問にお返しするのに、できれば少し小倉先生にもお聞きしたいと思っていたことですが、先生が最後のほうにおっしゃった「アイデンティティ」の訳が韓国語と日本語で違うという事柄も関係してきます。私は本当にハッとしました。私にとって、それは今日の大変大きな発見でした。というのも、常に「自己同一性」という言葉に違和感を覚えていたからです。「アイデンティティ」という言葉のどこにも単数ということはないのですね。でも、「同一性」というのは同一であることを強要するような言葉で、それが少しでも外れたときには、同一性がうまくいっていない、さまざまな側面において障害が起きるということになります。もちろんそれも「アイデンティティ」と重なるけれども、すべてではないなと思っていたのです。一方、韓国語では「正体性」——君の、おまえの、私の、僕の正体が何なのかと、もっと複眼的に捉えうるものとしていて、私の経験、私の実感とすごく響き合いました。

先ほどの質問に戻しますと、少しずつ日本語で伝え合い、通じ合い、自律的に生きることによって、そうでない英語で話したり読み書きをしたりしている自分が、唯一無二の自分ではなくなる。つまり、英語の自分が、動かすことができない、そこに屹立する山のような自分ではなくなる。ですから、脱着可能とまでは言いませんけれども、生きる者としてのみずからの手応えと言語が実はかなり緩い関係性にあって、日本語で着想したり伝えたりしている私と昨日英語で話をしていた私に、かなり距離を感じることがあるわけですね。これは小倉先生がおっしゃるように、功罪とか正否とか、性急にそのどちらがいいと感じるようなことでは決してなく、一つの現実として、多言語、複数の言語を用いておりますと、どうしてもみずからが、そのとき使っていない言語の自分とはちょっと違う、ずれているということに気づく瞬間があるのです。

このご質問の趣旨は相対化についてだと思うのですけれども、もし相対化できるとするなら、小倉先生がおっしゃる「自己正体性」というものですね。自分とは何者なのかを、複数でといいましょうか、英語の自分、日本語の自分ということではないものとして自覚する瞬間だと思います。ちょっと抽象的な話になってしまいましたけれども、そのように感じます。

石井　今の「自己正体性」をめぐる問題について、小倉先生、何かコメントはありますでしょうか。

小倉　韓国語で「アイデンティティ」を「正体性」と訳すというのは、韓国の人の場合、歴史に関する意識が非常に強いのですね。自分は一体何者なのかということに関して、かつて日本によって操作され、圧力でゆがめられたと。ではその前にあったのかということにもなりますけれども、圧倒的な中国の影響下にあった。要するに他者によって操作され続けてきたという意識があって、それゆえ正体というものに固執するのです。もちろんそこには、固執しすぎる傾向もあるのです。そこに韓国の人たちの息苦しさがあるというか、あれだけ豊かになったのに、常に自分の正体は何か、日本に対してどういう姿勢をとるのかといったことで暮らさざるをえない、そういう苦しみも私は理解しているところです。そういうところから生まれ、使われている言葉だと思います。

石井　ありがとうございます。

キャンベル　すみません。私が誤解していたところもあるように思いますので、今歴史的な経緯を伺ってよくわかりましたが、手短に小倉先生にお聞きしたいと思います。

そうしますと、「正体性」というのは、かなりモノリシックというか、一本の揺るぎないものなのでしょうか。「自己同一性」の同一性というのは、すごく押しつけられている感じがして、一つでないといけない、個人でないといけないというようなことを私はすごく感じるのですが、「正体性」というのは、実はシチュエーションによって、時期によって、ライフステージによって、言語によって、それが変わりうることを阻害するもの、そこを許さないものとして理解すべきなのですか。いかがでしょうか。

小倉　韓国の人々は歴史的に非常に多様な生を経験しており、中国との関係、日本との関係、アメリカとの関係、それから自分たちの社会の複雑な政治性といったものが非常に多様であったにもかかわらず、あるいはそうであったがゆえに、その多様性よりも、「一つ」といったものに固執する傾向が著しく強かったわけですね。ポストモダンになって、それは違うということで「正体性」の複数性みたいなことを言うようにはなりましたけれども、近代という時代には、「正体性」は、明らかに一つでなくてはいけない、そうでないと裏切り者になってしまうという恐怖心が裏側にある言葉であったことは確かだと思います。

石井　それに多少関連するかもしれない質問が小倉先生に対して寄せられております。

――小倉先生への質問　関係性の尊厳は確かに重要で、本居宣長もそれを強調しましたし、日本の五倫もそうだと思います。しかし、それが極端になってしまうと、例えば国体のような日本全体の関係性のような概念設定まで可能になってしまうのではないでしょうか。言うまでもなく、こうした関係性の重視のゆえに個の尊厳が犠牲になったという歴史もあると感じております。その場合、個の尊厳と関係性の尊厳のバランスをどう考えるべきなのでしょうか。

小倉　非常に刺激的なご質問をありがとうございます。

私は日本近代の思想も研究していますが、戦前の国体という概念はどういうところから出てきたのかというと、前近代、江戸時代の日本社会には、日本が朝鮮や中国に比べて遅れていたというか、トータルな形で一つの理念で社会をつくり上げるという儒教的な統合的社会のつくり方ができなかったことに対するコンプレックスが、特に幕末になってものすごくあったのですね。それを克服するために、西洋思想を利用しながら一つの理念で社会をつくっていくということを明治になって初めて実践し、その実践が成功したのかと思います。そのときに必要なのは、普遍的な永生する第二の生命であって、それを天皇に求めた。日本の場合、私の言葉でいう普遍的な生命に対する感受性、あるいはそれを操作する能力が伝統的に著しく低く、明治、大正、特に昭和になって、鈴木貞美さんがいうような大正生命主義、宇宙大生命といったものが右旋回していったわけです。

このとき、日本国民は熱狂したと思います。日本の打ち出した天皇を中心とする一つの生命によって外国まで包摂できるのだという考え方は、それまでの日本にはそういう普遍的な生命という考え方がなかったので、恐らく初めて接する考え方でした。ですから、戦前の理念を日本人みんなが嫌がっていたという戦後の語りは、私は嘘だと思っています。

戦前にはものすごく熱狂したのですが、結局それが失敗したわけですね。個人もつぶされてしまった。ですから、個人と全体と〈あいだ〉の三つのバランスが必要で、そのバランスが崩れてしまうと非常に大変なことになる。日本はそれを経験し、日本のバランスのなさによってよその国にまで迷惑をかけたというか、要するに支配や侵略までしてひどいことをしてしまったということだと思います。

――鳥飼先生への質問　ＣＥＦＲの七技能のうちの「仲介（mediation）」には翻訳も入ると考えてよいのでしょうか。翻訳は、特に出版する翻訳では、二つの文化の間の行き来、往復が不可欠のように思います。

――鳥飼先生への質問　現在ＡＩによる自動翻訳が進歩しておりますが、今後ほぼ完璧に多言語間の翻訳をおこなう自動翻訳機が登場したとして、そのときにも外国語を学ぶ意義があるとすれば、それは何であるとお考えでしょうか。

鳥飼　ＣＥＦＲの「仲介（mediation）」というのは二〇〇一年度版ですでに言っているのですが、そのときは通訳・翻訳のことしか入れていませんでした。二〇一八年にその概念をぐっと広げ、テクストあるいは概念の解釈といったことまで入れたのですね。でも、一番の中心は、やはり通訳・翻訳（interpreting and translation）です。それが異言語同士の仲介をおこない、異なった言語間の溝に橋を架ける最たるものであり、書記言語の場合は翻訳、手話言語や音声言語の場合には通訳になるわけです。これまでは、「今、ここ（here and now）」でやりとりされている音声言語によるコミュニケーションだけを「通訳」と呼んでいたのですが、「手話言語（sign language）」も入るということで、今は音声言語に加えて手話言語も通訳の範疇に入れています。

二つ目のご質問の自動翻訳についていては、最近は機械翻訳が目覚ましく発達しています。ＡＩ（人工知能）のディープ・ラーニングによって非常に進歩し、精度も上がりました。これに音声変換技術が加わり、二～三万円で自動通訳機が手に入り使えるようになっています。私もポケトークを持っていますが、六〇言語ほど入っていて、とても便利です。例えば、タイ語ができなくとも、タイの方と会ったときポケトークでやりとりができます。

そういう良さはあるのですが、ただし、一般に考えられているほどＡＩは万能ではありません。訳すことができる部分とできない部分があるのです。ＡＩには膨大なビッグデータを入れられますから、過去のメモリーから瞬時に検索して、日本語が入ったら英語が、英語が入ったら日本語がすぐ出てきたりはします。でも、ＡＩは、発話を取り囲む状況や文化的コンテクストを読み取ることができません。今はどんな状況で、相手がどういう人で、発言者とどういう関係性なのかということまでは斟酌できない。相手が目上なら敬語を使うとか丁寧な言い方にするとか、人間の通訳者なら自然に丁寧度を操作しますけれども、それがＡＩにはできないということです。

それから、人間は考えたことを全部そのまま発話するわけではなく、場合によって、ここはこう言いたいけれども、それを言うと商談が成立しないだろうからと、やんわりと言ったり婉曲に表現したりします。それを受け取る方は、言われたことからその意図が何なのかを読もうとするわけです。人間ならそういう発話意図を推察して通訳したり翻訳したりできるわけですが、ＡＩにはできません。この発言の裏には実はこういう意図がある、などということは、ＡＩは考えないのです。そういう意味で、例えば外交交渉や商談など、微妙な言葉の駆け引きで成否が決まるような対話はＡＩには任せられず、やはり人間の通訳者であり翻訳者が入らなければいけないことになります。

では単なる情報なら簡単に翻訳できるかというと、そうでもありません。最近、かなり機械翻訳の精度が上がっているように見えるのは、人間が入って編集しているからです。機械の翻訳のままでは使えないので、人間が手を入れてわかりやすくなるよう後から編集します。これを「ポスト・エディット（post-edit）」と呼びます。「プリ・エディット（preedit)」といって、機械が翻訳しやすいよう事前に原文を編集することもあります。そうすると、かなり機械翻訳の質が上がるのです。ということは、ＡＩに合わせて人間の話し方が変わってくる、あるいは書き方が変わってくるということもありえるわけです。

ＡＩはこれからかなり翻訳・通訳に関係してくると思いますが、むしろＡＩができないこと、人間にしかできないことがはっきりしてくるのだろうと思います。それを踏まえると、今後も今までのような外国語教育でいいのか、という疑問も出てきます。ＡＩが簡単にできるような、三万円ほどで買えるポケトークで事足りるような日常会話を、小学校、中学校、高等学校、大学と十年以上かけて教え込む必要があるのか。外国語教育で一体何を教えるべきなのかということを、そろそろ考えるべき時期に来ているのではないかと思います。

石井　ＡＩといえば、少し前に、国語の記述式問題を大学入学共通テストに導入し、その採点をＡＩでやればいいではないかという議論がありました。私はもちろんそんなことはできないだろうという立場だったのですが、そのとき、「それならＡＩで採点できる日本語を書けるような教育をすればいいではないか」と真顔でおっしゃった先生がいて、非常に衝撃を受けたことを思い出しました。ＡＩにあわせて日本語教育をするというのはまったく逆立ちした発想だと思うのですが、どうも冗談では済まなくなっているようです。

——キャンベル先生への質問　publicとhumanitiesの問題についてなど、大変勉強になり、刺激となりました。不可視のもの、あるいは知らぬ間に亡くなった人々をいかに可視化するか、記述するかということがテーマの一つになっていたと思います。欧米に比べて現代の日本は、こうした意味でも死者のメモリアルやモニュメントの意識は高くないと思っています。こうした現状と日本の教育における言語教育、リベラル教育とのかかわりについて、何か具体的な提起なども含めてお考えがありましたら、お聞かせいただけますと幸いです。

キャンベル　ありがとうございます。具体的な教育カリキュラムや教材に対する考えを聞かれていると思うのですが、そこを不用意に発言するのはなかなか難しいところがあります。といいますのも、日本で名もなき死者たちへの思いがpublicに顕在化されることが少ないとは、私は必ずしも思っていないのですね。今はちょうど六月に入ろうとしておりますが、よく海外でも日本について報道されることがありますように、夏、特に八月は、終戦記念日もあり、仏教におけるお盆の時期でもあり、さまざまな行事で死者に対する思いがあらわされます。

例えば、私は花火が大好きで、新潟の長岡はもちろん、片貝や小千谷の花火大会へも出かけます。そうしますと、テレビでは大体編集されてしまって放映されませんけれども、最初の三〇分ぐらいは追悼花火を上げるのです。一年の間に亡くなられた方々の家族が、浄財といいますか、お金を少し払って、おばあさんとか従兄とか子供とか、亡くなった方に対する供養として花火を上げます。この花火は、どこの地域に行っても、決まって白い花火です。そして、色をつけない真っ白の花火が上がるとき、アナウンサーが、暗い空から見ているとされる家族に向けたその花火のスポンサーからのメッセージを読み上げるのです。名前を言う場合もありますし、伏せる場合もあります。

それで私が今思い出しているのは、場合によっては三千~四千人ぐらいにもなるたくさんの人々が、河川敷に集まって、缶ビールを飲みながらそれを見届けている情景です。三〇分、ずっとです。とても静かで、何か静粛な儀式のようで、そうすべきということはどこにもないのですが、社会的な一つの規範が示されます。枝豆を食べながら一人一人の名前を聞き、美しい花火を見て、ひょっとして自分が亡くした家族やそばにいる家族のことを思ったりしているのかもしれません。

また、長崎や広島には平和記念施設があり、原爆の犠牲者たちの名前が納められ、あるいは追加される方々の名前が毎年読み上げられ、その名簿を一度出して国民に、あるいは全世界に見えるようにしていくという行為がおこなわれます。アメリカ、フランス、イギリスにも無名の戦士のお墓があり、そこで絶えない炎を燃やしたりしていますが、もちろん日本には日本の、戦没者に思いを致す複数の施設があるわけです。いろいろ議論もありますが、もう一つ日常の中に、亡くなった人々に対して、形として声であったり時間を共有するようなこともあるのかと思います。

去年ぐらいから順に新しい学習指導要領ができ、今ちょうど高等学校まで上がっていると思いますけれども、そこではアクティブ・ラーニングというものが大きな柱になっていて、これがまた大きな問題になっています。評価の問題、教材の問題、さまざまな課題がまだあるわけですが、このアクティブ・ラーニングの中で、言語活動の一つとして共通のテーマを取り上げ、国語と外国語、理科と外国語など教科をまたいでカリキュラムをつくってみることが重要であろうと思います。

このとき、いわゆる読み物道徳のような、例えば「近江聖人」ですとか、かつてこういうすばらしい人たちがいたとかいうことではなくて、もう少しさまざまな歴史的な状況、現在の日本を含めた社会的な状況を捉えながら、見えないものを見ていく。これは生者／死者ということだけではなくて、例えば日本においては、少なくとも欧米各国と比べて貧困といったものが非常に見えにくい側面があると思うので、そういったことに子供たちが気づき、自分で考え、自分で問いを拾ってくる、あるいは調べることができるようにしていく。私はこの答申をするまでの間、中央教育審議会のメンバーだったので、そんな提言をした記憶があります。

言語活動は、実はいわゆる外国語ないし国語だけでなく、社会や理科や、今は必修になった特別教科の道徳にまたがりうるマターを含んでいますので、その中で、地域によって、学校によって自主的に自律的に開発していってはどうかと思います。

おわりに

石井　どうもありがとうございました。教科の分類それ自体がそもそも人工的、恣意的なものですよね。ですから、本当に人間が学ぶべきは、それを総合していくところにある。これは、学問分野の総合化とか、鳥飼先生が最初にお話しになったこととつながってくるのかと思います。たくさんのご質問、ありがとうございました。最後にもう一度パネリストの先生方から今日の話を振り返って一言ずつコメントをいただき、締めとしたいと思います。

鳥飼　先ほどもちょっと触れましたが、小倉先生から複言語主義についての問題提起をちょうだいしました。母語しか話せない人たちの存在については、今後も考えていきたいと思います。それから、キャンベル先生がおっしゃった public life humanities という考え方は初めて知りましたので、もう少し勉強したいと思います。それと、重要な問題提起として、これも課題ですけれども、「共感（empathy）」と「寛容（tolerance）」をどうするのか。異文化コミュニケーションにおいて相互理解を目指すのだけれども、そこに至るまでの一つの言葉があらわす価値観の多様性・多義性に改めて気づかされました。

identity の訳として日本語で「自己同一性」が定着してしまったのは、最初にその言葉が日本に入ったとき、恐らくエリクソン（Erik Erikson）の「同一性の危機（identity crisis）」を指して使われたように思います。思春期に、自分が何者なのか分からず「自己の喪失」という心理的な危機状態に陥ることがあり、自分の内面で自己を同一化するという意味で翻訳者が「自我同一性」という言葉を使ったからではないでしょうか。ただ、これは日本語として意味がよくわからない。だからこそ、今の日本では「アイデンティティ」という片仮名を使うケースが大半です。国立国語研究所の外来語委員会で日本語での言い換えを検討しましたが、議論百出でした。そういう意味で、コリア語では「正体性」という言葉が使われていることを非常に興味深く思いました。

小倉　アイデンティティについてちょっとお話しすると、先ほど申し上げたとおり、ジョン・ロックにおいては、市民社会をつくっていく上で、昨日の自分と今日の自分は違うと言い出したら契約で市民社会がつくれなくなってしまうので、「自己同一性」という概念でよろしいと思うのです。ただ、それ以外の概念もあっていいのではないか、ということです。

それから、私のところに質問が来ていたので、ちょっと一つだけ短くお答えしたいと思います。いのちと言語教育がどう関係しているのかという点です。

実際に朝鮮語を教える上では歴史的なことに焦点が当たりがちなのですが、例えば、韓国の植物だとか生き物だとかの名前もまたおもしろいのですね。日本の影響を受けて「イヌフグリ」とかいう変な名前がそのまま韓国語になってついているものもあります。ですから、韓国・朝鮮に関するあらゆること、その文化や世界観のすべてに関して目を開かせてあげて、おもしろいな、この人たちはこういう世界観で生きてきたのだな、それはすばらしいなと学生たちが感じるところまで行ければと私は思っているのです。実力不足でなかなかそこまでは行けないのですが。以上です。

キャンベル　私も、創造的リベラルアーツセンターの設立記念に、お二人の先生方とお目にかかり、そして石井先生とお久しぶりに再会できてうれしかったです。

中部大学でこのセンターがつくられることの意味について、最初に学長からお話があり、石井先生からもご紹介がありましたが、中部大学といえば、私の中では、やはり工学、エンジニアリング、イノベーション、ものづくりというイメージがあります。ロボットを含めて宇宙開発にも関わり、工業的なさまざまな研究者たちを輩出し、ハードなインフラの持続性についても非常にさまざまな研究をされ、戦後から現在もずっと東海地方で日本の工業化を背負ってこられました。ここ二〇年で総合大学として大きく発展を遂げていることも承知していますが、私は、この地域で、地域の大学としてある中部大学だからこそ、その中にリベラルアーツの拠点ができたというのは、とても重要なことだと思うのです。

この一年間、私たちには大きな疫学的課題が立ちはだかったわけですが、今後も日本だけでなく全世界的な規模でさまざまな課題が出てくるという中で、これから生まれるであろう人々、子供たちにとっては、やはり文理融合的な理解・感性を醸成することが大切になってまいります。こういう話をすると、それは違うと言う人は誰もいません。総論においてはそうですねと。ただ、これはきれいごとで、大学の中で限られた資源をどのように配置するか、予算配分をどうするかといったことになるとまた違う結論があり、どうしても実用、応用、即戦力、そして学生あるいは学生の保護者からの就職に有利にしてほしいというような目線や要望が重視されるわけです。

ですから私は、少し休みをとるとか、逃げ込むとか、ちょっとした息継ぎができる庇としてのリベラルアーツではなくて、闘えるリベラルアーツ、あるいは就活においても強いリベラルアーツが望ましいと思っています。社会をよくしていく、刷新していく、確かな手続きや確かな現象に基づいて改善し力強いものにしていく場所としてこのセンターが設立されたとすれば、中部大学は非常にたくさんの可能性に富む選択、英断をなさったと思います。

最後に、石井先生がセンター長になられたわけですけれども、ちょっと責任重大だなとは思いつつ、エールを送ります。

石井　どうもありがとうございます。大変温かいエールを送っていただきました。

ご指摘のとおり、中部大学は元工業大学で、今でもやはり理系の学生が多いんですね。学部は文系四学部、理系三学部ですが、大学院まで進む学生はほとんどが理系です。実は京大も理系の教員が大半を占めているという話が先ほどありましたが、やはり今は理系の先端的な研究が世の中を動かしていて、文系の学問というのは理系が暴走する危険を抑制するためにあるという位置づけになっている気がします。私は、そのように理系を補完するものとして文系を位置づけることには賛成できません。そもそも文系と理系という分け方にそれほど意味があるとも思っていないのですが、今励ましの言葉をいただきましたように、こういう大学でこそ、文系・理系という区別のないリベラルアーツをやることの意義は非常に大きいのだろうと思っております。

それと、アイデンティティをめぐるお話が随分出ました。私は以前、リベラルアーツについて「やわらかいアイデンティティ」という言い方をしたことがあります。アイデンティティというと、どうしても凝り固まった、固定的な、変化しないものを想像してしまいがちですが、人間というのは変わりうるものであって、それこそまさに他者との対話を通じていくらでも変化していくわけですね。しかしそれでもなおかつ、自分の深いところに根付いたアイデンティティは、形を変えながらも、組成自体は本質的なものとして継続していくという側面もある。可塑的なアイデンティティといいますか、そういう自在に変化しうるやわらかいアイデンティティを追求することが、リベラルアーツの目的の一つなのではないかと考えております。

本日は大変実り多い、刺激的なお話が聞けました。私は最初に「異なるものを無理に一つにまとめて何らかの解答を導き出そうとする予定調和的な発想は、およそリベラルアーツの精神に反する振る舞いである」と申し上げましたので、今日は何の総括もせずにこれで終わりたいと思います。

（二〇二一年五月二九日　於中部大学）

II

リベラルアーツと語学教育と自由間接話法

阿部公彦

何のための語学教育なのか

この二〇～三〇年で学問の置かれた環境は大きく変わりました。以前ならほとんど気にする必要のなかった「それ、何のためにするの？」といった問いが繰り返し投げかけられ、研究者は何らかの対応をせざるを得なくなっています。もちろん、「何のため」と問われた時点で、すでに「物事を行うに際しては、はじめから明確な目的やゴールがあるものだ」もしくは「はじめから明確な目的やゴールがあるべきだ」という前提が一種のイデオロギーとして紛れ込んでるわけですから、そこに反論することは可能です。人間の生について「何のため？」と問われて、答えられる人がどれだけいるでしょう。

というわけで、そもそもそうした問いが間違っているのだから相手にしないという選択肢もありうるわけですが、リベラルアーツを支えるのは「対話」という方法でもあります。対話においてはお互いが異なるロジックで主張を行っていると思われるときでも、相手の議論の文法に歩み寄るという形で良い意味での〝すりあわせ〟を行う必要もあるかもしれません。第I部のシンポジウムの冒頭で石井洋二郎さんが試みているのもまさにそうした〝すりあわせ〟の一環だと思われます。そこでは石井さんは21世紀のリベラルアーツ概念の構築にあたって「四つの限界からの解放」という理念を示し、知識の限界、経験の限界、思考の限界、視野の限界からの「解放」がリベラルアーツの核となると言っておられます。

私たちは全知全能の神ではありませんので、すべてのことを知っているわけではありませんし、当然ながら経験してきたことにも限りがあります。そして自分の頭で考えられることにも限界がありますし、目に見えているものにもおのずと限りがあります。このように私たちが無意識のうちに囚われているさまざまな制約、限界から自らを解放するための技法、Arts、それが二一世紀のあるべきリベラルアーツの姿なのではないか、ということです。

本稿で私が注目したいのは言葉の問題で、とくに英語教育に焦点を絞りたいと考えていますが、その際にもこのような「限界」をめぐる考察は重要です。

すでに触れたように英語教育の現場でも「役に立つ英語とは何か」「何のための語学教育なのか」といった問いが、頻繁に、そして当たり前のようにくりかえされてきました。意味のないことはしたくない。やるなら役に立つものを、といった意見は、経済成長が頭打ちになった日本のような国では大きな説得力を持っています。しかし、二〇二〇年の入試改革が迷走したことからもわかるように、どのような英語が「役に立つ」のかといったことについての共通理解はほとんどありません。「パーティでわいわいやる」とか「英語で自己紹介できる」といった例が持ち出されることもありましたが、果たしてこれで「役に立つ」と言えるのか。「もっとオーラルコミュニケーションをやろう」という意見はよく聞こえてきますが、「じゃあ、どのようなオーラルコミュニケーションを目標にするべきなのか？」「そもそも一番役に立つのがオーラルコミュニケーションなのか？」といった問いにも十分な答えは与えられていません。国民のほとんどが日常的に英語を聞いたり話したりしないのに、そう簡単に口頭のやり取りができるようになるとは思えませんし、そもそもそんな状況で「話す」ことがそれほど必要なのでしょうか。

そうした状況の中で、私が初中等教育の中で英語を学ぶ「目的」として注目したいのは、「翻訳」という要素です。こんなことを言うと、「実用英語」や「四技能」といった看板を掲げる人から猛攻撃を受けるかもしれません。しかも私はこれまで、数こそ多くはありませんが、英語圏の小説を日本語に翻訳し、出版物として刊行したりしています。待ってましたとばかりに「我田引水だ!」との非難を受けるかもしれません。

加えて日本の英語教育についてはかねてから大きな課題が指摘されてきました。教室での実践が文法訳読に偏りすぎだというのです。一九七〇年代に起きた英語教育大論争の争点も、そのあたりに由来しているといって過言ではないでしょう。こうしたこともあり、八〇年代以降の文科省主導の英語教育は、にっくき「訳読」をいかに撲滅するかを最大の目的としてきたように思われます。学習指導要領などでも、「英文和訳」や「文法説明」は目の敵にされ、「文法の説明はするな」「英語の授業は英語でやれ」と言ってきたわけです。

しかし、それでも私は、もし英語教育に「目的」なるものがあるなら、その最大のものは「翻訳」だと言いたいです。ただし、ここでの「翻訳」は、英文学作品を日本語にして出版するといった、狭い意味での「翻訳」ではありません。また、英語を日本語に訳す、いわゆる英文和訳にもとどまりません。本当に念頭にあるのは、より広く、一つのシステムを別のシステムで言い換える、マーシャル・マクルーハン流の言い方を借りれば、一つのコードで表現されたものを、別のコードを用いて表現しなおす、ということです。このコードはパラダイムともシステムとも言い換えられるものですが、当然このカテゴリーには英語や日本語といった言語システムも入ってきます。従って英語の表現を日本語にするといった狭い意味での翻訳もここで言う翻訳に入らないわけではありません。こうした語学的な翻訳の作業は、あるシステムのものを別のシステムに移し換える、という広い意味での翻訳を行えるようになるための、最初の重要なステップを構成するからです。だからこそ、語学の授業が大事なのだ、というのが私の論点です。つまり、理系的な思考も含めた、さまざまなコード変換の作業の出発点となるのが、言語間の翻訳だと考えたいわけです。

「一対一対応」の幻想

なぜ「翻訳」にこだわるのか、さらに考えてみましょう。入試改革の中で気になったのは、ときどき聞こえてきた「言葉は道具にすぎない」というような主張です。これは以前から根強くある「実用」志向とも通ずるもので、背後には言葉は「もの」の世界に従属するのだ、という考え方があります。こうした考えを持つ人は、世界が単一の言葉で記述できると思い込んでいる節もあり、実用国語の導入といった政策にも、ものの世界とぴたりと一致するように言葉を使える、あるいは使いたいという期待が見え隠れしていました。そのなれの果てとして、二つの文を比べさせ「意味が同じかどうか」を言わせる「同義判定文問題」なるテストがあります。これで読解力が測れると信じる人が出てきたのです。二つの文をならべて同義かどうかを判定するという作業には、すでに出発点からして誤解があります。言葉は別の書き方をした段階ですでに同義ではないのです。「より意味が近いもの」「もっとも意味の近いもの」といったことは言えますが、同義はありえません。つまり、この同義判定の作業そのものに、「翻訳」「解釈」「理解」というプロセスが含まれているのです。翻訳や解釈であるからには、本来一致していないものをできるだけ近づけるような、言い換えや変換の作業としてとらえる必要があります。しかし、こうした方法を推進しようとしている人にはその問題意識が欠落し、一対一対応の幻想に浸っているようです。翻訳に注目することの最大の意義の一つは、こうした「一体一対応」の幻想から解放され、自分が依っているシステムを相対化することにあります。この相対化のプロセスがあればこそ、異なるシステム同士をどうつなぐかに知恵を絞れるようになるわけです。

近代小説と内面の声

このあたりの問題は、長らく小説などで活用されてきた自由間接話法という語りのモードとも関係します。長らくというのは、一〇年、二〇年といったスパンではなく、それこそ一〇〇年、二〇〇年の話です。自由間接話法は近代化の中で人間観がどう変化したかということとかかわっているのです。一九世紀以降、文学作品では他者の心の中をどう把握するか、理解するかが大きな課題となり、そのための重要な方法とみなされたのが「共感(sympathy)」でした。

あらためて確認すると、近代小説の重要な前提は、一人一人の個人がそれぞれ異なった内面を持ち、異なった欲望や動機に突き動かされて行動しているということでした。一人一人異なる以上、私たちはそれぞれの内面や欲望を知りたくなるし、知ることに意味があるとも考えます。もっと言うと、知ろうとすることが私たちの倫理的な要請であると考えるようにもなります。たとえば政治の場でも、政治家たちはそのような「声」を知るよう努めることが必要とされるし、だからこそ、そうした内面の「声」をすくい上げる場として代議制や選挙というシステムが維持されてきました。そうした価値観を中心のところで補強しているのが、個人の心の声に表現を与えてきた小説というジャンルでした。

とはいえ、「心の声」に表現を与えるのは簡単なことではありません。「心の声」を表現するための一番単純な方法は、本人にしゃべらせることです。政治で言えば、直接民主制ということになるでしょうか。だからこそ、告白や自伝といった様式が古くから重宝されてもきました。初期の小説では、たとえばサミュエル・リチャードソンの『パメラ』に見られるように書簡という形を通して、個人の声が表現されています。

このように本人にいわば直接法で語らせる様式は、今に至るまで生き残っています。それを支えるのは「正直さ」や「誠実さ」といった理念です。イギリスロマン派の詩をささえたのも、負の要素まで含めて全部語る、という「正直さ」の美徳でした。日本で私小説というモードが今に至るまで一定の力を保っているのも、この「正直に語る」という方式が語りの声に力を与えるからです。

フォークナーの『響きと怒り』や『死の床に横たわりて』、あるいはヴァージニア・ウルフの『波』といった作品はそうした方法をラディカルに実践した、一種の超絶技巧だと言えるでしょう。しかし、それらがかなり実験的なものとして受け取られてしまう（はっきり言うと、多くの人にとってはちんぷんかんぷんに思えてしまう）ことには、現代における「直接民主制の語り」の難しさもあらわれています。個々の人間にとって重要なのは、それぞれが勝手に意見を表明することだけではなく、何を考えているかわからない他者とどう付き合うか、またそうした他者の集積としての社会の中でどう生き延びていくかということなのです。個々の人間にしゃべらせるだけでは、全体はばらばらになってしまいます。だから、一九世紀の小説でしばしば見られたのも、語り手が全知全能の立場に身をおき、中心となる人物をすえつつも、さまざまな人間の内面にメリハリをつけながら踏み込むことで、個人間の関係や社会全体のありさまに一定の秩序を与えて描き出すという方法でした。つまり、個々の声は尊重しつつも、語り手が中心的な柱となってそれらをつなぎ止めるのです。

そこで鍵になったのは、安定した観察の出発点となる作家もしくは語り手が、いかに個人の内面に入り込み、その動きや欲望を理解するかということでした。こうして作家は、まずは共感と他者理解の力をためされるのです。そして、その語りを受け取る読者もまた、語り手に導かれてそうした共感や理解を追体験します。従って一九世紀の小説でしばしば前提となったのは、対象となる人物に接近し理解しようとする姿勢で、そこには善意と愛があふれるかのように見えます。そんな中で威力を発揮したのが、英語では自由間接話法だったのです。そこにはまさに、話者による人物の心の「翻訳」という要素が介在していました。

自由間接話法と翻訳

ご存じのように自由間接話法では、語順としては直接話法の方式に乗っ取り、人称や時制は間接話法のような形をとるのが基本パターンです。つまり、形の上では直接話法と間接話法の折衷ということになります。このモードを使うことで、外側からの目と、人物の内面の声との両方に重心をおくことができるので、場合によっては外からの目を保ったまま個人の内面に迫り、その声を拾い上げるかのような効果を得ることができます。これはまさに心と心、システムとシステムとの間をつなぐことの難しさとおもしろさとを具現するモードとなってきたわけです。

文学の作品や批評や研究は、こうしたシステム間の翻訳を透明に効率的に行おうとする人々の営為を応援し、協力しつつも、現実問題としてそうした作業に介在する困難にもあらためて注目し、そこに生ずるズレをおもしろがったり、このズレに注目することなくしては決して見えないような世界の「薄暗い部分」を、新鮮なものとしてテーマ化し人間の心の不思議さをクローズアップしたりしてきました。とくに今あげた後半、つまり翻訳の失敗やずれへの注目は非常に重要なものとなってきました。

自由間接話法を通した翻訳行為の中でとくに興味深いのは、「外の声」と「内の声」のバランスをめぐってさまざまな「さじ加減」の調整が可能になるということです。しかも、この「さじ加減」の主流が時代によって変わります。先ほども述べたように、一九世紀にはどちらかというと作家には登場人物への接近が——従って共感と善意と愛とが——期待されがちでした。作家が人物と一体化を果たしさえすれば、少なくとも作品内には愛と共感の共同体が成立するという前提があったように思えます。全知の語り手という言い方からもわかるように、まだこの時代、キリスト教的な価値観への信頼が残っており、小説家の力で世界を合理的に理解できるはずだとも考えられていました。だからこそ、共感も美徳として貴ばれました。

しかし、こうした作家による共感は、その裏に権力や支配の意識、傲慢さ、偽善といった望ましくない要素を隠し持ちえます。二〇世紀にさしかかるあたりから、一部の文学作品はそうした一元的な声の支配に対して懐疑的な態度を見せるようになります。ジェイムズ・ジョイスの『ユリシーズ』や、先にも触れたウルフの『灯台へ』『ダロウェイ夫人』といった作品には、地の文の特権的な支配から登場人物たちの声を解放しようとする傾向が見られるようになります。神の視点から自由になって、もっと気楽に、ときにはいい加減に、ときには意地悪く、自分らしさを保ったまま語る人物たちが現れるのです。また、ウィリアム・フォークナーの『響きと怒り』のような作品では、内面の理解が簡単ではないと思える知的障害者を視点人物の一人にすえることで、常識的な世界観の外に出るような視点を提供しています。つまり、二〇世紀に入ると作家たちは、人物に接近するよりはむしろ遠ざかってみせることで、つまり共感や愛よりも、無理解やよそよそしさやときには嫌悪感さえまじえた表現を通して人間の心をとらえようとしたわけです。

このように同じく自由間接話法を通した翻訳といっても、その効果はさまざまで、微妙なさじ加減によってまったく異なるニュアンスが表現されえます。また時代によっても翻訳の作法はかわります。文学研究ではこのように「翻訳」がいかに不透明な行為となりうるかということに注目し、そのズレや失敗をむしろ豊穣な意味生成の場としてとらえてきました。ものと言葉とが一対一で対応するという楽天的な考え方がときに必要であることも否定はしませんが、人間と人間が使う言葉とは、つねにこの一対一対応から少しずれる位置にいるということは忘れてはならないように思います。「翻訳」や「コード変換」の必要性や重要性を認識していればこそ、こうしたズレの必然にも目を向けることができる。文学研究はこのことを明らかにしてきました。

こうした立場からすると、語学学習が人生の中で意味を持つためには、目先の技能習得にこだわるだけではなく、「翻訳」というきわめて人間的な体験にたっぷり生徒の身をさらしてあげることが重要なのではないかと思うわけです。国語の授業で文学作品を扱うとなるとすぐ「心情」を察せよみたいなことになって嫌だ、という意見もときどき聞きますが、心情を読むとは必ずしも表層的な意味での情緒の読み取り、つまり「気持ちを察しなさい」というセンチメンタルな接近にとどまるものではありません。それらは「翻訳」や「コード変換」や「パラダイム共有」のための第一歩でもあるのです。文学作品中の発言や描写をめぐる考察は、他者や異物をいかに言葉にして解釈し、理解するかということにつながっていきます。こうした作業を実践することはまさに学校教育の柱であるべきだと私は思いますし、言葉を扱う授業でこれをやらなかったら、ほかのどこでやるのか?とも思います。そのあたり、今後も声を大にして訴えたいと思います。

＊ 本稿は、二〇二一年一一月一三日に行われた第三九回日本英語学会大会・特別公開シンポジウム「今、英語教育を考える——英語にかかわる研究の視点から」(日本英文学会との共催)における拙報告『『四技能均等』の限界とその先』の一部を改稿したものです。報告の機会を与えてくださった日本英語学会と、シンポジウムで御一緒し、有益なご助言をいただいた伊藤たかね、長谷川信子、井上逸平、白畑知彦、水口志乃扶の各氏にあらためて御礼を申し上げます。

なお、自由間接話法に関する記述の一部は、野崎歓・阿部公彦編『新訂　世界文学への招待』(放送大学教育振興会、二〇二二年)の第三章「好きになれない主人公が見る世界」に基づいています。

自由になるための外国語

佐藤嘉倫

自由になるためのリベラルアーツ

外国語といっても私が使えるものは英語だけなので、英語について語ることにしたい。現在、学校教育における英語の位置づけは微妙である。「使える英語」というキャッチフレーズの下にビジネス英語のような実用英語教育の必要性が主張される一方で、文学作品を鑑賞するような、いわば教養英語も大学で教えられている。私は両者は対立するものではなく、むしろ相補的な関係にあると考える。このことについては後で述べることにしよう。

そのためにまず私は英語をリベラルアーツの一つだと位置づけることにする。そして、大学でリベラルアーツを学ぶ目的は自由になることだと考える。日本におけるリベラルアーツ教育推進の第一人者である石井洋二郎氏も『21世紀のリベラルアーツ』(石井洋二郎編、水声社)の中でリベラルアーツは人を「限界から解放」すると述べている。石井氏によれば、その「限界からの解放」は知識の限界からの解放、経験の限界からの解放、思考の限界からの解放、視野の限界からの解放という四種類の解放からなる。

知識の限界からの解放とは、単に量的な知識の限界から解放されることではない。石井氏も述べているように、現代社会ではさまざまな情報をスマホで収集することができる。ポイントは、そのような情報を取捨選択し、自分の頭で結びつけることである。石井氏は「だから大学ではただ知識を教授・伝達するだけでなく、これと同時並行的に、個々の問いに即して必要な情報を適切に選び出し、それらを有機的に関連づけて活用する訓練をおこなわなければなりません」(二八頁)と述べている。

経験の限界からの解放とは、高校までの狭い世界を越えてさまざまな場所へ行ったり自分と異なる人々と出会ったりすることである。この意味で、石井氏の提唱するリベラルアーツは、教室の中で教員が講義をする旧来型の教養教育ではなく、「総合体験教育」(三〇頁)である。ただし、単に体験するだけではだめで、それを自分のものとして経験に変換しなければならない。この点について石井氏は次のように述べている。「一定の時間をかけて（……）対象と対峙し、格闘し、安直な妥協への誘惑に精一杯の抵抗を試みた末に身体化された体験だけが、受け身ではない「生きた経験」、すなわち主体的経験（active experience）へと昇華され、自己の一部として定着するということです」（三三頁）。

思考の限界からの解放とは、正解のない問いに立ち向かう思考力を身につけることである。石井氏は「本当の思考とは、すでに他人が考えてきたことを学習して復唱したり模倣したりすることではなく、まだ誰も考えていないことを自分の頭で新たに考えることであるということを〔学生に〕自覚させなければなりません」（三四頁）と主張している。

視野の限界からの解放とは、自分の専門分野に閉じこもらずに異分野に対する関心を持つようになることである。石井氏は「異なる分野の、異なる関心を持つ人たちと頻繁に意見交換をすることで、自分が囚われている「視野の限界」を自覚し、これを乗り越えてより広い展望の中にみずからを置き直す訓練をおこなう必要があります」（三七頁）と述べている。

私も石井氏と同様にリベラルアーツが人々を解放すると考えている。私が所属する京都先端科学大学の人間文化学会では二〇二〇年八月に人文学部所属教員の研究を紹介する『自由になるための人文学』という小冊子を刊行した。この小冊子の序文「本書の狙い」

で私は人文学を学ぶことで人は「今」「ここにいる」「自分」から自由になれるという主張をした。歴史や古典を学べば、自由に過去に行き、「今」から自由になれる。日本以外の文学や文化、社会を学べば、「ここにいる」という制約から自由になれる。心理学や社会学を学べば、「自分」というものを相対化し、自分から自由になれる。ここで重要なことは、単に本や論文に書かれていることを受動的に学ぶということではなく、本や論文に書かれていることを「自分事」として考え抜くということである。石井氏の言う「主体的経験」である。こうすることでリベラルアーツの素養が身につき「今」「ここにいる」「自分」から自由になれる。石井氏と表現の仕方は違うが、私は人文学、より一般的にはリベラルアーツを身につけることで人はさまざまな制約から解放されると考える。

外国語を学ぶことで世界が広がる

このことは外国語にも当てはまる。外国語を学ぶことで「今」「ここにいる」「自分」から自由になれる。この意味で、外国語（私の場合は英語）はリベラルアーツである。それではなぜ外国語は人を限界や制約から解放するのだろうか。このことについて考えてみよう。

鳥飼玖美子氏は本書第I部のシンポジウム「リベラルアーツと外国語」において次のような発言をしている。

人間が言葉を持っているというのは、大変に幸せなことです。それはどういうことかといいますと、リベラルアーツが人を自由にするための学びであるならば、それを可能にするのが言語なのですね。人間が自由を得て飛翔することを言葉が可能にしてくれると私は考えています。

いきなり映画の話になりますが、二〇一九年に制作された『博士と狂人(*The Professor and the Madman*)』という作品が二〇二〇年、日本で公開されました。初版発行まで七〇年を費やしたオックスフォード英語大辞典の誕生にまつわる実話で、原作は *The Surgeon of Crowthorne*(Simon Winchester, 1998)です。(……)一つの単語の語源から用例まで徹底的に追求する二人の言語への情熱が丹念に描かれている映画で、その中に「人間は言葉によって飛翔する」という一言が出てきました。これは、まさしく人間の言葉の本質を言いえていると思います。自由に飛び立つために、人間には言葉が必要である。

この鳥飼氏の発言にあるように、リベラルアーツの基盤として言葉がある。日本語を母語とする人は日本語によってリベラルアーツを身につけ限界や制約から自由になる。それでは日本語に加えてもう一つ外国語を使えるようになったらどうなるだろうか。当然のことながら、日本語の限界や制約から自由になれる。「世界が広がる」と言い換えてもいいだろう。

先のシンポジウム「リベラルアーツと外国語」において講演者全員が異口同音に主張しているのは、外国語を学ぶことで日本を相対化できる、日本を外からの視点で見ることができる、ということである。私自身の経験を語ろう。

私は一九九二年夏から二年間アメリカのシカゴ大学で客員研究員として研究に従事した。もちろん研究だけでなく生活者としてシカゴで暮らした。そもそも、それまでアメリカに行ったことがなかったので、さまざまな苦労をした（楽しかったこともたくさんあるが）。日本とアメリカの文化の違いといった大上段に構えたものではなく、スーパーでの買い物の仕方、レストランでの注文の仕方やチップの計算、病院での受診の仕方、などなど日米の暮らしの仕方（生活パターンと言ってもいいし、社会学的にはピエール・ブルデューのいうハビトゥスと言ってもいいだろう）の違いを一つ一つ覚えなければならなかった。

しかしそれよりも大変だったのはアメリカ英語に馴染むことだった。私は公立の中学校、高校で英語を学んだが、それはイギリス英語だった。イギリス英語では病院（hospital）を「ホスピタル」と発音するがアメリカ英語では「ハスピタル」である。また自動車メーカーの「トヨタ」や「ホンダ」はアメリカ英語では「トヨラ」、「ハンダ」と発音される。シカゴ大学社会学部の事務長でいろいろと私のサポートをしてくれた日系アメリカ人の名前は「オカモト」さんだったが、発音は「オカモロ」となる。このような違いのため、シカゴで暮らし始めた頃はアメリカ英語の聞き取りに苦労した。

しかし一年ぐらいしてからアメリカ英語に慣れてきて聞き取りもだいぶ上達した。そしてアメリカ英語で考えることができるようになった。これは私にとって大きな変化だった。まずテレビのニュース番組の内容をだいたい理解できるようになった。また英字新聞もある程度のスピードで読めるようになった。このことによって同じ出来事でも日本のマスメディアとアメリカのマスメディアでは見方が違うこと、また日米でニュースをカバーする地理的範囲が違うことが分かり、複眼的な思考ができるようになった。また英語でものを考え、話し、書くことができるようになったおかげで、いちいち頭の中で和文英訳や英文和訳をしなくて済むようになった。このことによって、研究面でのメリットも出てきた。これについては後述する。

シカゴ生活から約三〇年経った現在ではインターネットの発達のおかげで英語メディア

に容易にアクセスできるようになった。今でも時間があると「ニューヨーク・タイムズ」のウェブサイト上の記事を読んだり、公共放送ラジオのNational Public Radioのアプリでニュース番組を聴いたりしている。インターネットの功罪はいろいろと指摘されているが、「今」「ここにいる」「自分」から解放してくれることは確かである。リベラルアーツの素養を備えて世界の良質な情報源にアクセスすれば、インターネットのなかった時代よりも容易に限界や制約から解放されるだろう。

複言語主義の理想と現実

先のシンポジウム「リベラルアーツと外国語」において鳥飼氏は複言語主義について次のように述べている。

複言語主義というのは、単に多くの言語が共存している状態を指すのではなく、ある意図を持って欧州評議会が推進している政策なのです。どういうことかといいますと、母語以外に二つの言語を学びましょうという提案です。その二つの言語というのは、英語とは限らず、どの言語でもいいし、自分の国にある少数言語でも構わないのです。

自分の母語以外の異質な言語を二つは学ぶ。しかも、それらをばらばらに学ぶのではなくて、母語と他の言語二つを有機的に関連させ、新たなコミュニケーション能力を創出する、というのが複言語主義です。

また石井洋二郎氏も『21世紀のリベラルアーツ』の中で「言語の三角測量」という表現で、日本語、英語、第二外国語（石井氏の場合はフランス語）という三つの言語を用いることの重要性を主張している。たとえば石井氏は「この測量法〔言語の三角測量法のこと〕は、単なる語学力の進歩といったレベルを超えて、私たちを「思考の限界」や「視野の限界」から解放し、世界観そのものを飛躍的に拡張してくれるにちがいありません」（四六頁）と述べている。

私は鳥飼氏や石井氏の主張に全面的に賛成する。しかし語学の才能のない私にはあまりに高い理想のように見える。私は大学一、二年の時にドイツ語を学び、大学院受験準備ではかなり熱心にドイツ語に取り組んだ。しかしその後は英語文献ばかりを読むようになり、今では辞書と文法書を頼りになんとか時間をかけて読める程度である。これではドイツ語を「身につけている」とは到底言えない。フランス語は大学三年生の時に第三外国語として学ぼうとしたが、発音が難しいため初回で挫折した。四〇歳代で韓国の社会学者と共同研究を始めた時は半年ほど韓国語を勉強したが、やはりものにならず、「ビール下さい」や「とてもおいしかったです」程度の会話しかできない。中国語にいたっては高校生の時に覚えた麻雀で一から九までの数字を発音できるぐらいである。とても複言語主義や言語の三角測量にはたどりつけない。

安易に一般化するのはよくないが、おそらく日本語を母語とする人々の多くは、私と同じように英語の修得すらたいへんで、それ以外の外国語にまで手を伸ばすことはできないだろう。私自身、自信を持って「英語が使える」という感覚を得たのは、シカゴで英語漬けの生活を始めて一年経ったぐらいからである。しかし多くの人にはそのような経験をする機会はなかなかないだろう。それでは希望はないのか、複言語主義や言語の三角測量は理想にすぎないのか。

わずかながら希望はある。先の鳥飼氏の発言でも「その二つの言語というのは、英語とは限らず、どの言語でもいいし、自分の国にある少数言語でも構わないのです」とある。それならば方言も複数言語主義でいう言語であろう。また私たちは高校生の頃に日本の古典や漢文を学んでいる。さらに数学も学んでいる。これらも「言語」と考えることができるだろう。

ある地域の方言はそこに暮らす人々の歴史や文化を背負っている。私は仙台に三〇年近く暮らしたが、仙台の人々がよく使う言葉に「いずい」がある。「なんかしっくりこない」、「なんか居心地が悪い」といった感じを表す単語である。私は仙台でギターの個人レッスンを受けていたが、先生は押さえるのが難しいコードのことを「このコードはいずいですね」と表現していた。「いずい」の意味を理解している者同士ならば、これ以外の表現はないと思われるほどぴったりした表現である。

また、日本の古典を学べば、平安朝の人々の生活や考え方を理解することができる。そしてそれは現代日本に生きる私たちとはまったく異なったものである。また漢文を学べば、昔の中国の詩人や思想家、歴史家からたくさんのことを学べる。これも現代の私たちの立ち位置を相対化してくれる。したがって英語を身につけ、高校生の時に学んだ日本の古典や漢文を思い出せば、石井氏のいう言語の三角測量が可能になる。

数学を「言語」と捉えるのに違和感を抱く人もいるかもしれないが、数学は曖昧さを排除したコミュニケーションツールである。たとえば、経済学の限界効用逓減法則を言葉で表現すれば、「ビールを一杯飲むとすごく嬉しい、二杯目を飲むとやはり嬉しいが、一杯目ほどは嬉しくない、三杯目を飲むと……」となる。これを数学で表現すると次のようになる。

xをビールの消費量、uを効用（嬉しさ）とする。このとき両者の間には次の関係が成り立つ。

$$u=f(x),\ df/dx>0,\ d^2f/dx^2<0$$

AさんとBさんが微分を理解していれば、Aさんがこの数式を書くことでBさんはその意味を明確に理解できる。この意味で数学は明晰な言語である。ただし日常言語とは一つの点で大きく異なる。それは特定の民族や文化、社会に依存しないということである。世界中の誰でも数学を用いることによって相手の意図を明確に理解することができる。複言語主義や言語の三角測量という考えでは、言語が背負う文化的背景が重視される。この点で、数学は外国語に比べて分が悪い。しかし自分や他者が話していることを数学的表現に置き換えられるならば、それはそれで日常言語では見えない世界が見えてくる。

研究活動と外国語

私は日ごろの研究活動で英語をよく使う。まず英語で書かれた論文や本を読む。なぜなら日本語で書かれた論文や本だけでは不十分だからだ。社会学においても最先端の研究は英語で発表されることが多くなっているので、このようなインプットは不可欠である。

次に英語を用いて国際学会で報告したり、英語で論文や本を書いたりしている。もちろん日本語でも論文や本を執筆している。それなのになぜ手間暇のかかる英語で研究成果を世に問うのか。もちろん、英語で発表することで読者数が増え、被引用数が増えるという実用的なメリットもある。しかしより重要なことが二つある。第一に、英語で発表すると、日本国内で日本語で発表した場合とは異なる視点からのコメントをもらうことが多々ある。日本の中にいるとどうしても同じような発想になる傾向がある。しかし英語で発表すると日本の文脈に囚われないコメントをもらえる。そのようなコメントを参考にして新しい視点から自分の研究を進めることができる。

英語で研究成果を発表することのもう一つの利点は、国際的な研究者ネットワークの中に入れることである。私の場合は国際社会学会とアメリカ社会学会が主な活動の場になっている。これらの学会で専門分野を共有するさまざまな国の社会学者と交流をすることで、新たなアイディアが湧いたり共同研究の芽が生まれたりする。

このように英語で研究活動を展開することで、世界が広がり、新たな地平に立つことができる。この意味で、英語は研究者としての私を自由にしてくれる。

実用英語と教養英語

大学における英語教育について「使える実用英語」か「教養英語」かという議論がある。確かに従来型の教養英語を教えるだけではグローバル化した世界で活躍する人材を育てることはできない。しかし実用英語一辺倒だとこれも問題である。この点についてシンポジウム「リベラルアーツと外国語」において鳥飼氏が次のように厳しい批判をしている。

日本の教養教育における外国語の位置は、揺らいでいるというか、率直な印象として壊滅状態に進みつつあります。複言語主義どころか、英語しか念頭にない。外国語といえば英語。コミュニケーションといえば英語。英語さえできれば良い、としている大学が大半です。人類には多様な言語があり、すべての言語を習得することは当然ながら無理にしても、その幾つかを学ぶことによって、それぞれの言語が持つ独自の世界を知ることができます。それがどれだけ一人の人間の人生を豊かにし、そしてまた人間同士の相互理解に貢献するか計り知れませんが、その恩恵は短期間に目に見える成果としては現れません。現在の日本の大学教育では、もちろん例外はあるでしょうし、例外があってほしいと思いますけれども、多くの場合、英語教育一辺倒であり、しかも実用的な英会話スキルの成果を民間試験のスコアで測ることばかりを目指しており、何のために外国語を学ぶのか、外国語を学ぶとはどういうことなのかについての理解が甚だ欠如しています。欠如しているというか、最初から考えようとしていないとすら思われます。

長年英語教育に携わってきた鳥飼氏の発言だけに重みがある。私も教養英語の重要性を理解しているので、鳥飼氏の意見には大いに同意できる。

しかし私はあえて実用英語と教養英語は対立するものではなく、相補的な関係にあると主張したい。確かに教養英語だけ学んでいてはなかなか英語を話せるようにはならない。それならば、実用英語だけ学べばいいのか。私はそれでは不十分だと考える。いくら実用英語を学んでビジネスの場でぺらぺら英語をしゃべれたとしても、中身が伴っていなければ表面的な会話しかできない。

私はかれこれ三〇年以上国際学会や国際会議に参加してきた。その経験から言えることは、確かに研究報告や質疑応答を英語で行えることは重要だが、もっと重要なことは懇親会などのインフォーマルな場で会話に参加できるということである。このようなインフォーマルな場ではリラックスした雰囲気で新しい研究の芽が生まれたり、研究以外の議論が展開されたりする。このような場で会話に参加できるためには、実用英語だけでは不十分である。なぜなら単に自分の専門のことを語れるだけでは会話に入れないからである。相手から日本の政治状況のことを尋ねられたり、日本の歴史や文化のことを尋ねられたりする。私がシカゴ大学で研究を始めた頃に社会学部のパーティに呼ばれたが、そこでアメリカ人の社会学者から「源氏物語の〇〇の場面についてどう思う」と尋ねられて、びっくりした。

逆に言えば、日本の歴史、文化、文学、政治、経済、社会について深く理解し、それを英語で表現できれば、またこれらについて相手の国との比較を英語で表現できれば、相手はあなたのことを「教養のある人間だ」と尊敬するだろう。このためには教養英語の修得が不可欠である。"Hello, I'm Yoshimichi Sato. Nice to meet you." とネイティブ並みの発音で話せるだけではだめで、たとえばシェイクスピアと同時代の日本の作家との比較を話せるようにならなければならない。そうすることで、会話に深みが増し、相手との関係が親密になっていく。

私はビジネスの世界は知らないが、おそらく同じことが言えるだろう。ビジネス英語を駆使できるようになるのはもちろん不可欠だが、それだけでは不十分である。深みのある知性に裏打ちされた教養英語の素養があれば、相手との信頼関係を構築することができ、相手から「あの人なら」と一目置かれ、取引もスムーズに進むだろう。

このように、実用英語は不可欠だが十分ではない。教養英語だけでも不十分である。両者は対立するものではなく、相補的な関係にある。確かに時間的な制約から、両者を身につけることは難しい。しかし両者をそれなりに修得できれば、「今」「ここにいる」「自分」から自由になり世界が広がること、そして実用的には新たなビジネスチャンスに出会えることは確実である。

記者にとっての外国語——自分と読者の社会を相対化する視点として

大野博人

ことばは、茫洋と無限に広がっている世界を分節し、人間に理解できる姿にしてくれる。切れ目のない虹の光の波長を区切って「赤・橙・黄・緑・青・藍・紫」と七つの単語で認識したり、周波数では境目のない音の連なりを音階というデジタルな秩序に整えたりすれば、光や音の世界が整理される。

七つの色を順番に並べるだけで、だれでも虹だとわかるし、五線紙に音符を記せば同じ旋律を奏でることができる。つかみどころのない世界が、ほかの人とともに共有可能な形に変わる。

ただそのとき、私たちは、「赤」から「橙」への無限の変化を捨象して、そこにあるのは二つの色だと認識し、「ミ」と「ファ」の間にある無限の音は「ずれた音程」として排除している。けれども優れた画家たちは色彩には無限のニュアンスがあることを見せてくれる。優れた音楽家は、平均律の向こうにある豊かな音の世界を聴かせてくれる。「虹は七色」という世界にとどまり、音楽は「ドレミ」でできているという世界にとどまる限り、私たちは狭い空間に閉じこもっていることになる。

けれども無限の世界を表わすために、ことばを無限に用意することはできない。だから、ことばはなにかを示してくれると同時に、いつもなにかを示さない。必ずなにかを隠してしまう。しばしば示していることよりたくさんのことを置きざりにしてしまう。

どんな言語も、アナログな無限の世界をデジタルな有限の姿に変える仕組みであることに変わりないが、デジタルに変える分節の仕方が異なる。ちょうど、さまざまな民族や文化によって、虹の色の数が十になったり、音程が五音階になったりするように。

ほかの文化を知れば、自分のなじんでいる文化やことばが、世界をあるがままに写しとっているわけではないことに気づく。世界には母語がすくい取れていないものがたくさんあることがわかる。

外国語を知ることは、母語の分節線から自分の思考を解放することになる。それは自分の帰属する文化や社会を相対化するためのだいじな手がかりではないだろうか。

新聞記者の仕事をしながら、しばしばそう感じた。それを取材したり記事にしたりした経験を報告したい。

「格差」が隠していること

「格差」という日本語を聞くたびに、焦点の合っていない写真を見るような気がする。

格差社会、貧富の格差……。今や現代社会を読み解く上で欠かせないキーワードだ。日本だけでなく地球規模で共有され、内外でともに解決策を考えなければならない課題だ。

この問題を日本では政治家も官僚も研究者もメディアもたいてい「格差」と呼ぶ。しかし、英語やフランス語の記事や本の中で「格差」(英語の gap やフランス語の disparité)ということばにはあまり出会わない。もっぱら「不平等」(英語では inequality、フランス語では inégalité)という名前で呼ばれている。

たとえば、現代社会における不平等の歴史と構造を読み解いて、世界的なベストセラーになった仏経済学者、トマ・ピケティ氏の『21世紀の資本(*Le capital au XXIe siècle*)』(二〇一三)を見てみよう。

序文には、この本で扱おうとする問題が示されている。その邦訳(山形浩生・守岡桜・

森本正史訳、二〇一四年）には次のような文がある。

現代の経済成長と知識の浸透のおかげで、マルクス主義的な終末は避けられたが、資本や格差の深層構造がそれで変わったわけではない。

この中の「格差」ということばは、原典のフランス語版では「不平等（inégalités）」となっている。ちなみに英訳（Arthur Goldhammer 訳）でも inequality である。

また、この本の中核部分となる第3部には、原典で「不平等の構造」というタイトルが付けられているが、邦訳では「格差の構造」となっている。その中の第10章「資本所有の不平等」（これも邦訳では「資本所有の格差」）の最後に、この本の主張を端的に表わしている文のひとつが出てくる。邦訳では以下のようになっている。

近代的成長、あるいは市場経済の本質に、何やら富の格差を将来的に確実に減らし、調和のとれた安定をもたらすような力があると考えるのは幻想だということだ。

この「富の格差」は、原典では「富の不平等（des inégalités patorimoniales）」である。

このように、邦訳では原語の「不平等」は、ほぼ「格差」という日本語になっている。私は二〇一四年一二月に、ピケティ氏本人にもこの著作についてインタビューした。そのときも、彼は一貫して「不平等」というフランス語を使っていた。冒頭で「すべての社会、とりわけ民主的な近代社会では、不平等を正当化する理由を見つける必要があったのです。不平等の歴史はつねに政治の歴史でした」と語り、論を展開していった。

彼は二〇二一年の八月に、『平等についての略史（*Une brève histoire de l'égalité*）』という新刊を出した。その前書きによると、これまで二〇年間に著した三冊の研究書がいずれも千ページほどの大著となり、読者からもっと短くならないか、という声が多く寄せられたので、短いものを書いたのだという（『略史』はそれでも三五一ページにおよぶけれど）。

その三冊は、『21世紀の資本』のほか、『20世紀のフランスの高所得』（二〇〇一年）、『資本とイデオロギー』（二〇一九年）を指しているが、それらについてピケティ氏は「不平等（**inégalités**）の歴史をめぐる」一連の著作だと書いている。

つまりピケティ氏の問題意識の出発点は、「平等」という基本的な価値観を損なう病理としての「不平等」なのだ。

だが、この病理を「格差」と呼んだとき、問題の本質が見えにくくならないだろうか。「不平等」を解消しなければならないのは、「平等」を実現するためだ。けれど、「格差」

であれば、縮まればよいということになる。同じ問題を指しながら、含意にかなりのちがいがある。

『21世紀の資本』はわかりやすい一例として挙げたが、日本で「不平等」を「格差」と呼ぶ流れは邦訳刊行のずっと前から定着していた。この邦訳が出たころには、だれもが「格差」問題として論じていた。「不平等」を「格差」とした方が、日本の読者にはなじみのある問題への新しい視点として伝わりやすかったのはまちがいない。

日本で「格差」を重要な課題として指摘した本の一つに、橘木俊詔著『日本の経済格差』がある。日本での経済的不平等の広がりをいちはやく分析して大きな反響を呼んだ。この本が出たのは一九九八年。ピケティの『21世紀の資本』邦訳出版の一六年前だが、すでに書名には「格差」が使われている。

けれども、本文で使われていることばは、もっぱら「不平等」である。

橘木氏に尋ねると、「最初は書名にも不平等ということばを使おうとしたのだけれど、編集者と相談して格差になった」と教えてくれた。「当時は、不平等というと、過激な思想を連想させそうだったけれど、格差というと読者がまだついていけるニュアンスがあると考えたのだと思う」という。

グローバル化による経済的な不平等が内外で問題となり、反グローバル運動などが目立ちはじめた九〇年代、ほかの経済学者や国際政治学者から同じような見解を聞いたことを思い出す。

その背景にあったのは、当時広く支持されていたこんな見方だ。「先進諸国の中で日本はかなり平等な社会を実現した。グローバル化で所得の差が多少広がっても、他の国々のように不平等と呼ぶほどではない」

こうした空気の中で、日本では「不平等」が「格差」と言い換えられ定着した。そして、日本での問題の深刻度が増しても呼び方が変わることはなかった。

その結果、グローバルな経済課題について広範な調査をしている経済協力開発機構(OECD)が公表するリポートでも、英文でIncreasing inequalityとされている部分を邦訳では「拡大する格差」と記す、といったような翻訳の慣行ができあがっていく。

しかし、そのことによって、平等という民主的社会の土台が壊されつつあるという問題の深さが認識されにくくならなかっただろうか。

これは経済的な問題に限らない。「一票の格差」「男女の格差」などという言い方も、問題を矮小化していないだろうか。私はこのことに気づいてからは、こうした問題を表わすことばとして「不平等」を使っている。

同じ問題を外国語で考えてみる。そうやって、自分たちの社会がかかえる問題を考察する焦点がどこかずれていないかどうか、考える手がかりになる。

「極右」が隠していること

「新聞にわれわれのことを『極右』と書くのはやめてください」

二〇〇二年、フランスの政党である国民戦線（現在の国民連合）の幹部ブルーノ・ゴルニッシュ氏に取材したとき、そう言われた。

その少し前、大統領選挙に立候補した同党のジャンマリ・ルペン党首が政界や言論界に衝撃を与えた。第一回投票で、大方の予測を覆して首相だった社会党のリオネル・ジョスパン氏を破ったからだ。決選投票では、現職のジャック・シラク氏には破れたものの、党勢は増しつつあった。

フランス政界で、国民戦線は l'extrême droite と位置付けられていた。直訳すれば「極右」である。今日、同じような政治勢力が、多くの民主主義国で存在感を示すようになっているが、当時はまだキワモノ扱いだった。とりわけ移民排斥の主張は、フランス社会が広く共有しているはずの価値観の否定だとみなされ、言論界は強く批判していた。だから、ルペン氏が第一回投票を通過したときの動揺は大きく、主要メディアは決選投票までの間、中立の建前をかなぐり捨てて反ルペン・キャンペーンを繰り広げた。

ゴルニッシュ氏はその政党のナンバー2の地位にあった。もともと学者で、若いころに京都大学に留学したこともある。とくに日本の法制度に詳しい。

その彼が、「極右」という日本語の訳語に抵抗を示したのはなぜか。理由はわかりやすかった。「いいですか。移民を規制するために私たちが理想と考えている国籍法は、スイスと日本のものなのですよ」

両親が外国人の子どもが日本で生まれ育ち成人しても、それだけで日本人にはならない。なるのは簡単ではない。他方、フランスではほぼ自動的にフランス国民になる。日本の国籍法が血統主義に基づいているのに対して、フランスでは出生地主義も採用されているからだ。

つまりフランスで「極右」と呼ばれる政党が目指しているのは、外国にルーツがある人を国民とすることにハードルが高い社会である。そして、日本はそんな社会をすでに実現している。

「日本が極右でないのなら、私たちも極右ではないのでは？」とゴルニッシュ氏は問いかけた。「むしろナショナリスト政党と呼んでください」。ちなみに彼は、政治的に自分たちと最も近い考え方をしている日本の政党は自民党だ、とも語っていた。

この問いかけを聞き流すことはできなかった。フランスの政党を日本のメディアが「極右」と呼んで、自分たちとはかけ離れた存在であるかのように書いていいだろうか。そう自問しないではいられなかった。

また、フランスの政治について書かれた文章で、「右（la droite）」とは保守派の主要な政治勢力を指している。日本語で「保守派」とか「右派」と訳すことが多い。しかし「右翼」と訳すことはあまりない。「右翼」という日本語は、街宣車に乗り込んで大音響でスローガンを流して回るコワモテの人たちを連想させる。だからフランス政界の保守派を表現するのに、フランス語を直訳して「右翼」というわけにはいかなかったのだろう。

そういう文脈から考えれば、**l'extrême droite** は、右派の中でもっとも右寄りという意味だとも言える。そもそも「極」という形容が付けられていても暴力的な手段をも辞さない非合法政党ではない。

国民戦線の主張している内容と日仏のことばの使い方のちがいとを考えると、**l'extrême droite** を、日本語の「右翼」よりさらに怪しげなキワモノを思わせる「極右」ということばに訳すのは適切だろうか。

私は適切ではないと考え、それからは「右翼政党」と表現するようにした。それに対して、フランス語のように「極右」と書かないのは弱腰だといった批判も受けた。

その後、国民戦線は現在の国民連合に発展し、党首はジャンマリ氏の娘のマリーヌ氏になった。そして、ふつうの政党というイメージを広げることにも成功している。二〇一七年の大統領選挙ではマリーヌ氏も決選に残ったが、メディアが以前のような激しいキャンペーンを展開することはなかった。フランスだけではない。ほかの国々でも、似たような政党の存在は当たり前の政治光景になっていった。

しかし日本では、今でも「極右が勢力を伸ばすなんて、欧州は大変だね。日本にはそんな悩みがなくてよかった」といったナイーブな感想をしばしば聞く。「極右」と伝えるニュースは、日本の読者や視聴者が自分の社会についてふりかえって考える手がかりになっているようには見えない。

外国のこうした政党をキワモノ扱いするだけでは、その根にある社会の病理に気づくことが遅れる。「極右」という直訳語を使い続ける限り、現代の民主主義に突きつけられている大きな疑問符を、わがこととして受け止める姿勢にはつながりにくいのではないだろうか。

「おもてなし」ってだれを?

日本が「おもてなしの国」?

二〇一三年九月にアルゼンチンのブエノスアイレスであった国際オリンピック委員会(IOC)総会。東京へのオリンピック・パラリンピック招致のためのプレゼンで、滝川クリステル氏はジェスチャーをまじえて「お・も・て・な・し」を日本が誇る文化として前面に出した。

私は、それを異様に感じた。旅行者への親切なもてなしというのであれば、私は多くの国で経験した。日本固有だとは思えない。しかし、それだけではない。

パリに駐在してフランスで取材活動をしているときに、「もてなす(accueillir)」とか「もてなし(hospitalité)」という単語が登場するのは、しばしば難民や移民についての話題だったからだ。観光客の受け入れについてだけ使われているわけではない。

エマニュエル・カントは、『永遠平和のために』の中で「善きもてなし」を受ける権利を平和の条件の一つとして論じている。

すなわち〈善きもてなし〉というのは、外国人が他国の土地に足を踏みいれたという だけの理由で、その国の人から敵として扱われない権利をさす。その国の人は、外国から訪れた人が退去させられることで生命が危険にさらされない場合にかぎって、国外に退去させることはできる。しかし外国人がその場で平和的にふるまうかぎりは、彼を敵として扱ってはならない。

（中山元訳）

カントがこの本を著したのは一七九五年。鉄道も自動車もない時代だ。国境を越えて往来する人とはいっても観光客ではない。「生命の危険」に言及している点から、現代の世界に当てはめるなら、むしろ移民や難民について考えるときにこそ必要な視点だろう。実際、たとえば世界的に著名な法学者であるミレイユ・デルマスマルティ氏は、ルモンド紙への寄稿「移民、もてなしを原則に」（二〇一八年四月一二日）の冒頭で、カントを引用している。

移民や難民が安全な生活を確保できないまま、地球上にあふれ続けている現状への深い懸念から、グローバル時代の今日、「もてなし」は、もはや道徳や慈善の話ではなく、緊急に必要なことだと指摘。一八世紀にすでにそのことに気づいていたカントにならい、問題に向き合うには「普遍的なもてなしを原則とする」ことが急務だと訴えている。

さて日本は、難民にとても冷淡な国である。

国連難民高等弁務官事務所（UNHCR）の報告（二〇二〇年）によると、紛争や宗教、人種、政治的見解を理由に迫害され、他国に逃れなければならなかった人々は約二六四〇万人に及ぶという。ほかに自国内で避難を余儀なくされている人々は約四八〇〇万人。おびただしい数の人が緊急に支援を必要としている。

しかし、日本が二〇一九年に難民認定したのは四四人にすぎない。申請したのは約一万人なので認定率も一％に届かない。ドイツ二六万人、フランス二万四千人、米国二万人などと比べてケタ違いに少ない。二〇二一年三月には、名古屋入管施設に収容されていたスリランカ人女性が適切な医療さえ受けられないまま病死し、日本の難民に対する姿勢が問われる事件さえ起きた。

日本は移民についてもきわめて消極的だ。「人手不足」という理由で「外国人労働者」は受け入れるが、それは「移民」ではないという。すさまじい速度で進む少子高齢化に対応するため日本に住む外国人が増え続けても、政府は「移民」ではないと言い続けてきた。しかし、政府が「生活者としての外国人」と呼ぶ人たちについての政策を立てたとき、何を参考にしているのか取材してみたらフランスなど主要国の「移民政策」だった。

ここでは、もってまわった日本語をひねり出すことで実態をあいまいにしようという意図がうかがえる。

難民や移民をここまで遠ざけようとする国が「お・も・て・な・し」を自国の宣伝文句にする。日本語の中にとどまっていれば気づかなかったかもしれない自国のグロテスクな姿が、外国語で考えてみると浮かび上がる。

自らを相対化するために

「これでいいのだ」ではなく「これでいいのか」。

それが、報道機関が読者や視聴者に投げかけるメッセージの基本だと思う。読者が自分の社会を「相対化」するための手がかりを提供する仕事といえばいいだろうか。

自分の暮らす国、町、携わっている仕事や社会的な地位が今、どんな課題を抱えているか、何を問われているか、どんな困難に直面しているか。考えるためのデータや視点を読者に手渡す。

それは、読者・視聴者が自分のよって立つ場所、いわばアイデンティティーを「相対化」することにもつながる。愛国心や愛郷心、あるいは仕事への誇りが傷つけられることもあるだろう。安心より不安につながるかもしれない。他方、それは社会が健全であるためには欠かせない視点でもある。それを納得できたとき、読者や視聴者はその言説に意味を見いだす。そうなれば不安だけでなく希望も感じるだろう。

たしかに自分の社会を「絶対化」してくれる言説は心地よい。「これでいいのだ」という主張は読んでスカッとするが、社会が抱える問題に解決をもたらすことにはつながらない。むしろ問題を複雑にすることが多い。留飲は下がっても問題は解決しない。展望は開けず、希望は生まれない。いずれ失望をまねく。

ただ、社会を「相対化」する視点の提供は、ほかならぬ論者自身がまず自分のアイデンティティーを「相対化」できなければ不可能だ。

フランスの思想家、ジュリアン・バンダは一九二七年に『知識人の裏切り（*La Trahison des clercs*）』を著す。原題の clercs は聖職者などを意味するが、知識人らを皮肉って呼ぶことばでもある。この本の場合、学者やジャーナリストなど言論人全般を指している。

第一次と第二次の両大戦間の時代、フランスでは人種や階級への帰属意識、ナショナリズムといった政治的な情念に突き動かされた論をつむぐ知識人、言論人が少なくなかった。バンダはそれを真っ向から批判する。

正義や理性のような永遠の価値を擁護するのが使命である者たち、知識人と呼ばれる者たちが、現実的な利益のためにその使命を裏切っている。

言論人は、自分の国や民族、人種、階級の利益の代弁者ではないという。彼らが代表するべきは、それらと一体化した政治的利害ではなく、普遍的で時を超えた真理や正義のはずではないか、忘れるな、と呼びかける。

現実を超越したところに普遍的な真理や正義があるという考え方は、百年近く後の世界から見ると楽観的にすぎるかもしれない。だが、たとえばパレスチナ出身の知識人だった批評家エドワード・サイードは一九九三年の講演「知識人とは何か（Representations of the Intellectual)」で、このバンダの知識人批判に深い共感を示している。「ドン・キホーテ」のような面はあるけれど、「強く惹かれる」と。

そのうえで、サイードは「神も一掃された」今、知識人の役割は権威に問いを発することだという。政府やその意を体したマスメディアが広げようとする価値に対して、バンダのいうように「永遠の価値」を対峙させることはもはやできないにしても、「相対化」する視点を突きつけることはできるというわけだ。

サイードは、知識人を「亡命者」や「部外者」になぞらえる。読者が帰属する社会をあたかも外から見るような視点を示すのが役割と考えるからだ。自分と読者が共有するアイデンティティーをあえて棚上げして語る役回りを引き受けろ、ということだろう。

しかし、「部外者」になるといっても、覚悟さえすればいいわけではない。自分の文化や言語の空間にとどまっていると、どんな出来事、どんな考え方も自分の思考の枠組みの中に当てはめて、ついわかった気になってしまう。虹の色の赤と橙の間の無限の色彩をどちらかに割りふって整理しようとするように。自らを「相対化」する視点を見つけるのは容易ではない。

その思考の安住の地を揺さぶるために、外国語は大きな手がかりになると思う。

私は英語やフランス語を仕事で使ってきたけれど、母語である日本語のようにあやつるレベルからはほど遠い。それでも、母語の言論空間では見えなかったことがうっすらと姿を現す経験は何度もあった。小論で報告したのはその一部に過ぎない。

外国語を学ぶことは、他者を理解するためだけではない。自分を理解するためでもある。

今、自動翻訳技術は膨大な翻訳例をもとに精度を増しているという。それは他者への理解やコミュニケーションのための大きな助けになると思う。しかし、ビッグデータに依拠する限り、「不平等」の定訳を「格差」とし、「極右」を直訳し続けるおそれはないだろうか。「おもてなし」の欺瞞をあぶりだしてくれるだろうか。

自己を相対化する手がかりとしての外国語は、自分で学んで身につけるしかないと思う。

言葉のネットワークを往復するということ

藤垣裕子

「窓」の提供と思考の相対化

二〇二〇年に『教養の書』を書いた戸田山和久は、外国語とは「窓」を提供するものだと主張している。英語、フランス語といった窓を持つことにより、自分があたりまえと思っていることがあたりまえでないことを知ることができる。たとえば戦時中に戦争批判を貫いたある学者が、日本の中では極端な孤立であっても、世界の知識層のなかでは圧倒的な多数派であることを外国語を通じて知り、それを支えとした話がある。外国語を用いた窓から日本の外を見ることによって、自分たちを閉じ込めている国家・社会、もっと一般化して言えば「思考の枠組み・限界」を相対化することができるわけである。

第I部のシンポジウムでも、アイデンティティを「自己同一性」と訳すか「自己正体性」と訳すか、という話の例にあるように、私たちがあたりまえと思っていることがあたりまえでないことを知り、思考の枠組みを相対化することができた。私個人の経験から言えば、二〇一一年東日本大震災後の原発事故直後にハーバード大学で開催されたシンポジウムに参加し、「日本は科学技術立国をうたっていたのに、何故あのような事故がおきたのか」「日本の原子力発電は、日本の政治的・経済的・社会的文脈にどのように埋め込まれてきたのか」と質問攻めに会い、自らの立ち位置を相対化することができた。さらに言えば、二〇一三年にIAEAの応用健康部チェム部長に招かれてウィーンでのワークショップに参加し、「福島で医師と市民のコミュニケーションがうまくいっていないのは、日本の医学教育に教養教育が不足しているからだ」「フランスでは医師の卵はフーコーを読む。日本では医師のもつ権力について学ぶ機会はあるか」と問われ、まさに日本の教養教育をめぐる「思考の枠組み・限界」を相対化することができた。二〇二一年現在であれば、各国のコロナ対策について外国語を用いて知ることにより、日本の対策を相対化することができる。

言葉によって異なる人格？

もうひとつ、掘り下げて考えてみたい点がある。キャンベル氏が述べた「日本語で着想したり伝えたりしている私と英語で話をしている私に、かなり距離を感じることがある」という点である。ひとりの人間は、異なる言葉によって異なる人格をもつと考えてよいのだろうか、という根源的な問いである。この問いは、大学院生時代に通った英会話学校で「性格的に英語がうまく話せない」と述べた同級生に対し、教師が「人格を変えよ（Change your personality）」と言ったということを聞き、英語を話せるようになるには人格を変えねばならないのかと思ったことに端を発する。確かに、国際会議に出席している間、英語を使って思ったことを何でも発言しようとする自分と、日本に帰国後に思ったことを何でも言うわけではない自分との間には、ギャップがあるように感じることがある。それは言葉だけではなくまわりの環境にも依存する。ただ、言葉のネットワークは文化ごとにつくられるのであるから、ネットワークの異なる場に放り込まれたとき、もとのネットワークとは異なる思考が強いられる（展開される）であろうことは想像に難くない。

ところで、ここで人格は personality であり、ペルソナといわれることもある。この人格が複数あることと、シンポジウムでも議論となったidentityとの関係はどうなるだろうか。アイデンティティを「自己同一性」と訳すのであれば、「日本語で着想したり伝えたりしている私」と「英語で話をしている私」との間に距離がある場合、自己は同一ではないことになる。そして「自己正体性」と訳すのであれば、「日本語で着想したり伝えたりしている私」と「英語で話をしている私」との間に距離があること自体がそのひとの「正体」ということになる。

分野によって異なる距離感

さらに追究してみたい点は、自然科学系の話題と人文・社会科学系の話題とで、母国語を話す自分と英語を話す自分との距離が異なることである。自然科学系の研究者は、「英語で考える自分」イコール「日本語で考える自分」に近いプレゼンテーションをする研究者が多い。それに対し、人文・社会系の研究者は、キャンベル氏が指摘されたように、「英語で考える自分」と「日本語で考える自分」との間に距離がある。このことは、先端科学シンポジウム（Frontiers of Science 以下Ｆｏｓ）に一七年間かかわってずっと考えてきたことである。Ｆｏｓは、日本と諸外国の優秀な若手研究者（原則として四五歳以下）

が様々な研究領域（日米の場合は、物理学、化学、生命科学、神経科学、数学、宇宙・地球科学、材料科学、そして社会科学の八領域）における最先端の科学トピックについて、分野横断的な議論を行う合宿形式のシンポジウムである。日米、日独、日英、日仏とＦｏｓがあり、日仏では社会科学の代わりに「人文学・社会科学」が入っている。若手研究者を両国から三〇名から四〇名ほど選んで合宿形式で議論を行い、一年ごとに交互に開催地を設定する。各分野二時間のセッションを持つ。最初の一時間に各テーマ（テーマは各領域のプログラム・プランニング・マネージャーが前年に集まって決める。たとえば「ＲＮＡとウィルスをめぐる話」「隕石と太陽系の起源」「次世代燃料としての生物燃料」など。人文・社会科学であれば「科学技術と民主主義」「音楽の多様性と一様性」などがテーマとなった）に従事する両国の新進気鋭の若手研究者が、他の領域の研究者にもわかるようにプレゼンテーションし、残りの一時間で他分野の研究者も交えて自由な討論を重ねる。

自然科学系の研究者は、文字どおり、英語で考えるようにプレゼンテーションをし、質問に答える研究者が多い。それに対し、人文・社会系の研究者は、「英語で考える自分」と「日本語で考える自分」との間に距離がある。このことは、自分自身が自然科学系のプレゼンを組み立てるときと、より人文・社会系によせたプレゼンを組み立てるときにも感じることである。なぜこのようなことが生じるのだろうか。

自然科学の用語や知識は普遍性をめざしており、どんな文化をもつ国でも、意味が一意に定まるように作られている。たとえば日本の電子と米国の電子とロシアの電子が異なったりはしない。メートル法で定められた長さは世界どこでも一意に定まるように工夫されている。地球上の位置を表す経度もグリニッジ天文台を起点に定まっている。このように自然科学では、用語や尺度や知識の存立自体が歴史的・社会的・文化的背景を極力排除したところで普遍的に成立するように構築されているのである。そもそも自然科学系のノーベル賞や自然科学系の国際雑誌のインパクトファクター（引用回数の指標）が成立するのは、歴史的・社会的・文化的背景を捨象できるからである。

それに対し、人文・社会系では、概念の構成自体が、歴史的・社会的・文化的背景に依存する。そのため、語のネットワークを置き換えること、それ自体が難しい。そのため、「英語で考える自分」と「日本語で考える自分」との間に距離が生じてしまう。英語で考えるようにプレゼンをし、質問に答えるためには、異なる歴史的・社会的・文化的背景を瞬時に往復し、語のネットワークを瞬時に置き換えなければならない。それは自然科学のようには簡単ではないのである。

筆者が専門とするＳＴＳ（科学技術社会論）は、まさにその両者を扱っている。たとえば「東日本大震災後の原発事故は日本固有の問題か」という問いは、この両者にまたがる。

はたして科学技術のどこまでが普遍的なもので、どこから先が文化依存的で東洋的なものであるのかについての問いを我々につきつける。科学技術の領域に入る原子力発電技術に関する知識あるいは原子核の核分裂に関する知識は普遍的なもので、どんな文化をもつ国においてもなりたつ。しかしその科学技術の知識を生み出す活動は、とりもなおさず人間によって営まれており、科学活動を支える制度、研究環境、関連する法、背負っている歴史は国によって異なる。そして、科学技術リスクを管理する上での知見やシステムも、人類普遍のものであるだけでなく、文化に依存するものが入り込むのである。

科学と日常性の文脈

さて、母国語を話す自分と英語を話す自分との距離が分野ごとに違うということの考察のために、そもそも母国語で話すときに、専門用語のネットワークと日常用語のネットワークがどのように異なるかを考えてみよう。議論をすすめるために、専門用語を日常用語でわかりやすく書き換えるプロセスをプロセスX、逆に、日常用語を専門用語で言い換えるプロセスをYとして話をすすめよう。

プロセスXでは、まず、ある種の情報量は確実に減る。たとえば物質名、化学式、専門用語で表現された概念などは日常用語で置き換えられる。専門家のコミュニケーションにとって必要不可欠な物質名が、わかりにくいという理由で、物質Aと記述される、あるいは専門家の中ではほぼ自明なある概念が、わかりにくいという理由で別の用語に置き換えられる、などである。このことは同時に、専門用語のネットワークによって保たれていた「概念の精度」が落ちることを意味する。さらに、日常用語でわかりやすく表現するために、比喩、対比などが用いられ、日常の文脈が追加される。たとえば、血圧を説明するときにホースを流れる水の圧力を例とし、水圧を上げすぎるとホースが劣化することを示しながら、血圧が高いことの血管への影響を類推してもらう、などが具体例として挙げられる。

翻って、プロセスYを考えてみよう。専門家集団内での概念の精緻化プロセスである。このプロセスにおいては、一意に意味が定まるように、日常用語における多義性が排除される。さらに、日常生活の文脈において存在する社会的な過程を排除して、専門家集団における「理想条件」を暗黙の前提とした精緻化が行なわれることになる。社会的な過程をできるだけ排除して、より純粋に成立するものだけを取り出そうとするプロセスと考えることができる。そのようにして専門用語のネットワークがつくられる。

このプロセスYが、自然科学の専門用語ネットワークと人文・社会科学の専門用語のネットワークとで異なると考えられる。自然科学の専門用語ネットワークは普遍性をめざしており、どんな文化をもつ国でも、意味が一意に定まるように作られている。多義性を排除し、歴史的・社会的・文化的背景を極力排除して普遍性をめざす。それに対し、人文・社会科学の専門用語のネットワークは、概念の構成自体が歴史的・社会的・文化的背景に依存する。自らのよってたつ社会の現象を説明するために、自らの存在する社会の日常用語に依拠する度合いが高くなる。先に述べたプロセスYにおいて、歴史的・社会的・文化的背景を排除する割合が、自然科学ほど高くないと考えられる。

たとえば、日本の日常用語では虹は七色であるのに対し、他言語の世界では六色だったり四色だったりする。同じ現象を説明するのに、ある文化の言葉の分節化や変数結節（連続するできごとのなかから、どれを変数として取り出すか。あるいは人に語るために何を言葉あるいは概念として結節させるか）は、別の文化の変数結節と異なるわけである。そして、もともと異なる変数結節のありかたを懸命に統一しようとしたのが自然科学の変数結節である。そして、統一しようとせず、その文化の変数結節のありかたを生かそうとするのが人文・社会科学の変数結節である。ただし、社会科学の一部の数量化をめざす分野（計量経済学、計量社会学、計量心理学）は自然科学の変数結節をめざしていることを付しておく。

以上のことから、研究分野によって、「言語の壁」の意味が異なることがよくわかる。自然科学者にとっては、もともとどのような文化においても成立する変数結節を用いているので、英語で語ることの壁が低い。自然科学の専門用語では、母国語の専門用語と英語の専門用語が一対一に対応しやすいのである。英語の専門誌に論文を載せることは知見の共有に役立ち、英語の専門誌は共有の国際的コミュニケーションのプラットフォームになる。しかし、人文・社会系では、母国語で自らの文化固有の変数結節を用いて語ることのほうが大事なことが多いため、言語の壁はその分高くなる。母国語の概念と英語の概念が一対一に対応するとは限らない。英語の専門誌に論文を載せることは、別の文化の変数結節への置き換えを伴うことになる。

異なる変数結節の統一——標準化論

前節において、もともと異なる変数結節のありかたを懸命に統一しようとしたのが自然科学の変数結節であると述べた。これについて考えてみよう。筆者は二〇一三年に科学技術社会論分野の著作である『数値と客観性（*Trust in Numbers*）』という本を翻訳・出版した。本書の内容をもとに、ある文化で作られた概念のネットワークを統一することの意味を考えてみよう。

本書は史実に基づき、なぜ人類が数値を客観的とみなすのかの理由を考える。グローバル化がすすみ、遠く離れた地域の人々とモノや知識の交易をすすめようとするときには、個人に由来した知識や地域に依存した知識は使いにくくなる。そういうときに交易や交流の標準化に役立つのが数値である。ローカルノレッジが通用しなくなるとき、標準化が求められ、新しい信頼の技術として数が登場する。その意味で、数字とは「没個人化」「非人格化」(原語はどちらもimpersonality)の道具なのである。

例をあげよう。一八世紀のヨーロッパでは、町役場にその地域で通用する一ブッシェル(質量単位で二七・二キログラム)の容器が陳列されていた。これは小麦やオート麦を交換するときの単位であった。小麦はオート麦より高く評価されていたので、通常は平らにしたときの尺度で交換された。一方、オート麦は山盛りで売られていた。産業革命以前の世界では、すべての地域が、ときにはすべての村が、独自の尺度をもっていた。しかし、交易網がより大規模になるにつれ、尺度を統一する必要性がでてきた。ヨーロッパ大陸ではフランス革命が統一した尺度をつくり上げるうえで契機となった。計測における平等を保障するために、政治的な革命がメートル法の浸透に役立った。正確で統一された尺度が、経済を特権による秩序から法律の支配へと移行させたのである。メートル法は、現場の農民のために考案されたものではない。メートル法は、真のブッシェルを地方に持ち帰ったのではなく、ブッシェルを捨てて完全になじみのない量と名前によるシステムを選ばせた。

この例において、各地方のブッシェルは地方によって異なるため、遠く離れた地域との交易には使えない。ブッシェルというローカルノレッジが通用しなくなるとき、標準化が求められ、メートル法という新しい信頼の技術が登場したのである。メートル法はその意味で impersonality の道具である。この例においては、ある文化で作られた概念のネットワーク（変数結節）とは、その村で使っているブッシェルを中心に構築された売買・交換の慣習であり、それを別の文化の変数結節へ置き換えるとは、別のブッシェルを中心に構築された売買・交換の慣習に置き換えることを意味する。それに困難が予想されるため、各文化におしなべて使えるメートル法を普及させたことになる。標準化とは、このように尺度や概念のネットワーク間の一対一対応をつくりだすプロセスである。自然科学の変数結節は、このようにもともと異なる変数結節のありかたを統一しようとする試みであることがわかる。

異なる変数結節の往復——翻訳論

それでは、統一することをめざさずに、ある文化で作られた概念のネットワーク（変数結節）を別の文化の変数結節へ置き換えることをめざすとどうなるだろうか。先の例でいえば、ある村で使っているブッシェルを中心に構築された売買・交換の慣習を、別のブッシェルを中心に構築された売買・交換の慣習に置き換えることになる。これが「翻訳」である。

人文・社会系の研究においては、英語で論文を書くということは、自らの言葉で母国語で作った概念のネットワーク（変数結節）を、別の文化の変数結節へ置き換えることを意味する。「翻訳」の作業が入るのである。翻訳、とくに出版される書物の翻訳においては、このような語のネットワーク間の置き換え作業が生じる。シンポジウムにおいて鳥飼氏は、AIによる自動翻訳機と人間による翻訳との差に触れ、AIにはコンテクストを読むことができないと述べた。たとえば外交交渉において、「この発言の裏にはこういう意図がある」というように、話者との関係や文脈によって類推することが、コンテクストを読むことであり、これは人間の通訳でこそ可能になると主張した。しかし、出版される翻訳の場合、「この発言の裏にはこういう意図がある」ではなく、この章のこの箇所にこの文で筆者が込めた意図はこういうことであるが、それを日本語の読者に理解できるように訳すためにはどの語を選ぶべきか」ということを何時間もかけて考えることになる。まさに、一つの文化の概念のネットワーク（変数結節）を別の文化の変数結節に置き換える作業を、時間をかけておこなうことになる。

プロの翻訳者である私の友人は、「翻訳には蟻の目と鳥の目の両方が必要」と言った。蟻の目とは、いままさに訳している一文において主語はどれか、述語はどれかをしっかり押さえ、文法的に正しく置き換える作業を指す。その作業とともに、鳥の目で「この章のこの箇所にこの文で筆者が込めた意図」を読み、「それを日本語の読者に理解できるように訳すためにはどの語を選ぶべきか」を考えなければならない。この両方の目がなければ、よい翻訳はできないのである。

その意味で、母国語の概念と英語の概念が一対一に対応するとは限らない人文・社会系の翻訳はそう短時間ではできないことが示唆される。出版される書物の翻訳がそう短時間でできないのであるから、それを会話で行う場合、異なる歴史的・社会的・文化的背景を瞬時に往復し、語のネットワークを瞬時に置き換えることがそう簡単ではないことが推測できるだろう。概念の構成自体が歴史的・社会的・文化的背景に依存する人文・社会系の場合、英語で考えるようにプレゼンをし、質問に答えるためには、異なる歴史的・社会的・文化的背景を瞬時に往復し、語のネットワークを瞬時に置き換えなければならない。自然科学のように語のネットワークが一対一に対応する場合とは異なるのである。

個別と普遍

以上のことから、「日本語で着想したり伝えたりしている自分」と「英語で話をしている自分」に距離を感じることは、実は大事なことであることがわかってくる。異なる歴史的・社会的・文化的背景や、文化に依存する語のネットワークの違いに、その分敏感になれるからである。同時に、距離をなくそうとした自然科学の試みと、距離を大事にしている人文・社会系の試みとの差異に気づくこともできる。

このことは、人類の知の営みのうち、自然科学のみが普遍的な知であることを意味しない。科学は個別を排除する（多様な言語に依存する文化依存性）を排除することによって普遍に至るのに対し、たとえば文学は個別を徹底的に追及することによって普遍に至ることができる。普遍にいたる経路が違うだけなのである。

おそらく、外国語とリベラルアーツについて考える意義は、異なる歴史的・社会的・文化的背景や、文化に依存する語のネットワークの違いに敏感になることによって、逆に自らのよってたつ語のネットワークを相対化する力を養うことにあるのだろう。同時に、語のネットワークを統一しようとする試みと、統一しないでそれぞれを尊重して翻訳しようとする試みとの違いに敏感になることができる。自らの専門分野から自分を解放する契機がここにあり、その意味でリベラルアーツ（自由になる技）に通じると考えられる。

橋をかけるリベラルアーツ――他者と共に飛び立つための外国語

鈴木順子

中部大学の特長と創造的リベラルアーツセンター

名古屋から四〇分、郊外の小高い丘の上に中部大学はある。東海地方の中堅私大であるが、実はほぼ毎年全国トップレベルの就職率（二〇二〇年度は全国一位）を誇る大学である。文理ともに専門教育、資格取得などの実学に力を入れており、その地道な努力が結実しているのである。他方、温かみのある作庭に柔らかなフォルムの彫刻が散在する大変美しいキャンパスを持ち、訪れる者、日々を過ごす者の心にゆとりを与えてくれることも大きな特長である。郊外の高台というロケーションのおかげで緑の中をいつも心地よい風が吹き抜けている。さらにワンキャンパスの総合大学である利点を生かし、文理を越えた交流が盛んで、学生の満足度が高い点も誇れる特長として挙げられる。

このように、地に足のついた現実感覚と、自然や美を大事にする心のゆとり、風通しの良さ、異質なものとの交流に積極的な進取の気風といった特長を持つ中部大学は、いま全学をあげてそれらの特長を一つに結実させ、二一世紀的リベラルアーツ教育やSDGs教育に真剣に取り組もうとしている。

その勢いは、二〇二一年四月に創造的リベラルアーツセンター（CLACE）が創設され、「大学教育に新しい「リベラルアーツ」の風を」と呼びかけてきた石井洋二郎（以下、学内関係者は敬称略）がその長に就任したことで、一層加速した。センターにはリベラルアーツ教育を志す教員が文理バランスよく集い、その専門に応じてさまざまなリベラルアーツ授業が本格的に始動したところである。

それに加えて中部大学は、同時期にスタートさせた大学院「持続社会創成教育プログラム」との連携も開始する。つまり、大学院レベルの学生に文理を問わず、SDGsとリベラルアーツ両方の授業を行う後期教養教育を始めるのである。

ここで中部大学の外国語教育について述べてみる。英語の充実ぶりについては稿を譲るとして、第二外国語教育はどのように行われているか。中部大学では、各学部の教育科目カリキュラムと人間力創成総合教育センターの語学プログラムとの両方を用意しており、文理を問わず六カ国語（中国語、韓国語、スペイン語、ポルトガル語、フランス語、ドイツ語）から学べるシステムとなっている（人間力創成総合教育センターは、全学共通科目を提供し前期教養教育を担う組織）。

このように、もとより中部大学は、実学のみならず、第二外国語を含む初期教養教育にも重きを置いてきたのだが、今後はさらに専門の確立してきた三、四年生や、右記の通り大学院生にも、新しい教養教育としてのリベラルアーツ教育・SDGs教育を行うようになるわけで、中期・後期教養教育の一層の充実を図ろうとしているところである。

ただし第二外国語に関しては、資格試験準備などで忙しい学生、その指導にあたる教員からは、果たして必要かとの声が聞かれないわけではない。その点では中部大学も他大学同様、教育の射程をどう定め、具体的にどう時間を配分するかについて、学内で一致した見解が得られているとはまだ言えない。今後リベラルアーツ教育が一層充実・浸透していく中で、いかに外国語教育を充実させていくかは、大きな課題であろう。そういう時に、この「リベラルアーツと外国語」シンポジウムをCLACE主催により中部大学で行えた意義は大きい。

中部大学のリベラルアーツ授業がいま大切にしていること

外国語の問題には後ほど再び触れるとして、まず中部大学では目下どのようなリベラルアーツ教育を行なっているか、報告したい。

いまリベラルアーツ教育に関心を持つ人が多く参考にしているのが『大人になるためのリベラルアーツ――思考演習12題』（正、続）であろう。これは著者である石井洋二郎・藤垣裕子氏の二人が東京大学教養学部において行なった授業記録であり、すでにリベラルアーツ教育実践に際しての必読書ではないかと思われるが、しかしいくつかの大学ですでにディスカションなどを行った人から「やってみても難しかった」「知識量の多い学生たちだったからできたことでは」などの声を聞くことがままある。

ここでは、中部大学における二〇二〇、二一年度の授業実践を紹介し（「環境と生活」、「現代思想」）、個々の学生の知識量や言語運用能力の多寡を問わず、また集団の特徴に左右されずにリベラルアーツ授業は行えることを示し、参考に供したい。

一つ目は、細田衛士（環境経済学）と石井洋二郎がペアで行った「環境と生活」から、「原子力発電は必要か」をテーマにしたレポート講評を中心とする授業回、二つ目は石井洋二郎が一人で担当した「現代思想」から、「安楽死は許されるか」のディスカッションをメインとする授業回である。

一つ目の授業について紹介する。「原子力発電は必要か」のテーマをめぐり、「原発賛成」「原発反対」に分かれその理由を述べ合い、さまざまな意見を出し合ってディスカッションしたあと、レポートを提出させた。その中で最も評価できるもののいくつかを授業では取り上げ、まず石井が詳しく講評した。

その中に、原発賛成論を熱心に唱える学生による、力のこもった長いレポートがあった。そのレポートについて、さらに細田が取り上げ、その論理的一貫性のある内容がとても優秀だと褒めた後で、次のようにコメントした。

細田によれば、「原発賛成」「原発反対」を出発点にここまで論議してきたが、実はその二項対立の枠組みを固定的に考えないことも大切だ、ということである。大事なのはむしろ「賛成」「反対」の中にいかなる濃淡があるかをきめ細かに見ることである。それによって意見が対立していたように見える人々の中から、ともに納得できる解決策が見出せることが多い。例えば、賛成派の中にも、①プルサーマルを含む原発全面的利用派や、②プルサーマルは除くがしかし原発全面利用派、そして、③原発部分的利用派（一部原発を利用するが代替燃料や技術の開発を考えながら原発のウエートを小さくしてゆく）がある。

他方、原発反対派の中には、④脱・原発（直ちにすべての原発を廃炉にすべき）派と、⑤卒・原発（代替燃料や技術の開発を考えながら将来の原発廃炉を目指す）派が存在している。このように詳細に見ていくと、原発賛成の③部分的利用派と、原発反対の④卒・原発派は、一見原発賛成派と原発反対派という対立陣営に属しているように見えはするものの、実は考えている内容はかなり近い、という事実に気づくことができる。

細田はこのように説明し、学生らに、現実に取りうる選択肢を複数提示しつつ、具体的にどれを選べばより多くの賛同者が得られる解決策になりうるか、考え方の筋道を示していた。一見自分とまったく異なる意見の持ち主に見えても、相手の中に共感できる部分が見出せる可能性がある。その大事な部分を見落とさないよう、相手の話をよく聴くことを細田は自ら身をもって伝えていた。そして、肝要な点は、自分とは異なるさまざまな意見をまず知り、整理しながら、自分を相対化することの大切さであるとしていた。

細田は、学生に「先生自身は原発に賛成ですか、反対ですか」と問われた際には、「私は原発反対派です」と答え、自らのスタンスを明示しはしていたが、学生がそれに対して忖度するような雰囲気にはしなかった。細田・石井のペアは、終始一貫して、自らの「正義」を押し付けたりすることなく、参加者の意見を聴き、聴くことの大切さを率先して示していた。

「待つこと」「聴くこと」の大切さ

考えてみれば、細田、石井という、分野における第一人者同士の顔合わせで毎回指導が行われるという大変贅沢な授業であり、これこそまさに中部大学のゆとり、懐の深さを示す授業であった。ただ、両碩学がどのように中部大学でリベラルアーツ授業をしていたかといえば、二人が最も留意しているように見受けられたことは、数多くの専門知識や「正しさ」を伝えることではなく、その場の全員の意見を丁寧に聴くこと、そして、どんな人の意見も受容されるということを学生に実感させることであった。とりわけ論理的に展開される意見はどんな意見であれ褒めていたことが印象に残った。

もう一つ、徹底して「聴くこと」「待つこと」の例を示したい。それは、人文学部における二〇二〇年度秋学期「現代思想」という石井洋二郎が単独で担当したリベラルアーツの授業である。その中で「安楽死は許されるか」をテーマとした回を紹介する。

はじめから学生の意見は、「安楽死は許される」「許されない」「どちらとも言えない」に分かれた。その意見を述べる際に、自分が寝たきりになったらどうしたいか、家族が寝たきりになったらどうするか、また医療従事者だったら、といった異なる立場に立ってみての賛成・反対が入り混じった表明があり、また「どちらとも言えない」とした者は「立場によっては賛成、反対が変わる」ということだったので、石井は次のように提案をした。「安楽死は、どの立場、どの視点から見るかで、賛成・反対は確かに変わってくるから、立場ごとに考えてみよう。家族、本人、医師・医療関係者で分けて、改めて賛否を考えてみてはどうですか。」

このような石井の声かけによって、学生は、テーマを考え意見を表明するときに、自分の経験と立場を一度相対化してみると考えが整理されること、自分の意見がより明確になることを学んでいた。

このような石井の声かけを何度か経て、議論は深まっていき、そして次第に参加者の意見の違いの根拠は、「自分の命は自分のもの」(個人の自由、自己決定権の尊重)と考えるか、「命は与えられたもの」(被贈与的生命観、命の尊厳の重視)とするか、にあることがお互いにわかってきた。前者が常に多数派だったが、しかし、あらゆる意見に耳を傾け受容する石井の態度に後押しされ、少数派も、冷静に力強く意見を表明しつづけ、大きな存在感を示していた。

のちに学生からは、「異なる学年、学科の生徒同士で意見を交換することで、全く想像しない意見を聞くことができ、自分の考えも深まり、充実した授業だった」(一年人文学部）との反応があった。「全く想像しない意見」に出会った時、それをどう聞くのか。まずは自らを無にして聴き取ろうとする姿勢こそ、石井が率先して示していたものであった。

これら二つの授業を振り返って、最も印象に残っているのは、石井、細田による、聴くこと、待つことの徹底である。碩学の碩学たる所以は、前述の通り、専門知識の伝授というよりは、聴く仕方、注意する仕方を、教師自ら身をもって示すことにあった。自分より知識量が少なく、言語能力に長けているわけではない相手ほど、また自分が「全く想像しない意見」ほど、丁寧に聴くべきことを学ばされた。

一般にはおそらく、良心的であろうとする教師ほど、授業時には、自らの専門知を余すことなく伝え、そして学生の「未熟」な市民知を否定したくなるだろう。また、学生の「偏見」をその場で正したくなり、彼らの意識の低さを変え、「正義」や倫理を伝えようとしたくなるのかもしれない。しかしリベラルアーツの授業で大事なのは、むしろ、いま目の前にいる相手の発言を聴くこと、相手が語り始めるのを待つことの方である。

ことばが生まれるために——シモーヌ・ヴェイユの「注意」

以上のような中部大学での優れたリベラルアーツの授業を見学しながら思い出していた

のは、二〇世紀フランスの思想家シモーヌ・ヴェイユ（一九〇九―四三）の言葉である。

注意とは、自分の思考を宙吊りにすること、思考を使える状態にしておきつつも、空にしておくこと、対象が入り込めるようにしておくこと（……）である。（……）とりわけ、思考は空でなければならない、待ってはいるが、何も探さず、しかし自分に入り込んでくる対象をその裸の真実において受け取る準備ができていなければならない。

（「神への愛のために学校の勉強を活用することについての省察」）

相手に注意を払うこと、とくに自分が全く想像しもしなかった意見に出会いそれに注意を払うこととは、その意見を「裸の真実において受け取る」ということだとヴェイユは言う。しかし実はこれはとても難しいことである。教師は内心、自らの意見だけ、自分が伝えたいことだけが教室に存在すれば良いと思っており、授業中「自分の思考」を宙吊りにはなかなかできない。しかしリベラルアーツの授業においては、そうであってはならない。学生は、注意を払われている、耳を傾けられていると実感することで、他者の意見も聴けるようになり、また自発的に責任ある意見をはぐくむようになるからである。実りある対話はその先にある。

ことばが《注意》をもって聴き取られることが必要なのではない。《注意》をもって聴く耳があって、はじめてことばが生まれるのである。

（鷲田清一『「聴く」ことの力』）

注意を向けられた実感が自信につながり、そこから他者への注意や自分の主張が生じる。聴く態度が意見を育てるのである。したがって、教師がすべき大切なこととは、まず教師自らが注意を払うこと、聴くことである。

（「聞く」と「聴く」は、前者が一般的に使われるのに対し、後者が「注意深く耳を傾ける」（『広辞苑』）という用法であるので、ここでは後者を用いる。ただし、鷲田清一・河合隼雄『臨床とことば』には、こちらが相手の言葉を一言一言「掴もう」としたり、受け止めすぎて相手の動きを止めてしまったりするような「聴く」ではなく、「ふわーっと受ける」ように、相手を自由にさせるように「聴く」ことの大切さが強調されている。そういった態度としての「聴く」として用いる。）

すなわち、リベラルアーツとは、一見まわり道に見えるが、時間をかけゆっくりと得ていく、しかし一度身につけば一生の財産となる、自分とは異質な意見を持つ他者との間の世界を取り結ぶ仕方の習得にほかならないのである。

ただ、教師として、どんな意見もありで良いかという疑問が湧いてくるのは確かであろう。それに、リベラルアーツが単なる価値相対化で終わって良いはずがない、という気持ちもあるはずである。創造的リベラルアーツは、そもそも学生が市民知を、教師が専門知を持ち寄って、人文知へと繋げていく営みであるはずだが、それでは、市民知、専門知の共通のベースであるはずのその人文知は、価値的なものなのだろうか、それともあくまで手段なのだろうか。

他者の尊厳を認める義務――シモーヌ・ヴェイユの権利概念批判

すでにこの問題については、隠岐さや香氏が本書の前著で言及していた。すなわち、「現代におけるリベラル・アーツの取り組みの中で際立つ特徴として、対話と倫理的な思考への関心という二つ」がある、という指摘である（隠岐さや香「歴史の目からみた21世紀のリベラル・アーツ――対話と倫理的思考」石井洋二郎編『21世紀のリベラルアーツ』。強調は引用者）。

ただ、果たして本当に、リベラルアーツが拠って立つところの人文知には、倫理的正義が認められるのだろうか。それとも、リベラルアーツ教育においては、単に価値相対化が行われていればよいのだろうか。

今回のシンポジウムで、小倉・キャンベル両氏の発言、やりとりにおいて、いみじくも隠岐氏の指摘が発展的に取り上げられ、深められた感がある。

例えば小倉氏は次のように述べていた。「これこそが正しいのだと主張することがリベラルアーツであるべきではなく、すべての文明・文化・社会・共同体・個人と自分との〈あいだ〉に、「ここに尊厳が成り立つ」というものを「見つける」ことがリベラルアーツ」である、と。そして「せっかちに「正義」と結びつく（……）その性急さをちょっと緩和」したいとしていた。

他方、キャンベル氏は「「創造的リベラルアーツ」が当然 creative であると同時に（……）、public でもあるようぜひ要望したい」とした。ただ最終的に、キャンベル氏は「基本的に二元論で考えることではなく、正義を見つけることと存在の尊厳を見つけることの間には、一つの橋渡し、あるいは桟橋のようなものがある」とも述べていた。

これらのやりとりを聞いて、再びヴェイユが思い出され、まさに彼女にこそ、キャンベル氏のいう「橋渡し、桟橋のようなもの」が見出せると思われたので、以下少々長くなるが紹介してみたい。それは次のような内容である。

ヴェイユは一九四三年に書かれた『根を持つこと』(副題「人間存在に対する義務宣言のための序論」)の中で、近代的人間観の基礎とされてきた「アイデンティティ」「人格」「自律的人間」といった概念を批判、それらに基づく「権利」観念に再考をうながしている。ヴェイユによれば、人にあらかじめ権利があると考えるのは誤りである、なぜなら権利は他者から認められることではじめて発効するに過ぎないからだ、ということである。したがって、われわれにとって最も大事なことは、互いに共通の非人格的部分(基本的な身体的・精神的欲求、特に他者の善意・助けを求める弱い部分)を認め合い尊重し合う「義務」を果たすことに他ならない。他者の尊厳を認めることはわれわれの義務であり、それがなされない限り権利は存在しない、とヴェイユはいう。このように「非人格」「義務」概念を提示することで、ヴェイユは、近代的人権思想、人間観を根底から変えようとしていた。小倉氏の言う〈あいだのいのち〉をヴェイユは徹底していたのである。

義務の観念は権利の観念に先立つ。権利の観念は義務の観念に従属し、これに依拠する。ひとつの権利はそれじたいとして有効なのではなく、もっぱらこれに呼応する義務によってのみ有効となる。権利に実効性があるかないかは、権利を有する当人ではなく、その人間になんらかの義務を負うことを認める他の人びとが決める。(……)

個としてみた人間にはもっぱら義務しかない。（……）さらにその人の観点からみるならば、他の人びとはただ権利だけを有する。ひるがえって他の人びとの観点からみるならば、彼らがその人にたいして義務を負っていると自覚するかぎりにおいて、その人もまた権利を有する。

（『根をもつこと　上』）

「祈り」に耐えるリベラルアーツ――答えのない問いにとどまり続ける勇気

キャンベル氏のいう「正義を見つけることと存在の尊厳を見つけることの間にある橋渡し」とは、ヴェイユによれば、「存在の尊厳を見つけること」が先立って行われ、その結果として「正義」が見出せるようになり、二つの間の橋渡しがかなうということになるのである。

このことをさらに、ヴェイユ研究者の脇坂真弥氏が次のように説明している。

私は（そしておそらくはヴェイユも）、「権利」という言葉を軽んじたり否定したりしているわけでは決してない。人間が長い年月をかけてようやく練り上げた「権利」という尊い概念は、決して便利な言葉の発明などではない。ただ、この言葉ですべてをすくい取ることはできない。というよりも、この言葉のある意味での無力は、この言葉を練り上げてきた人間の努力そのものが次段階で言う無力な「祈り」のひとつの現れであることを示してはいないだろうか。権利という語が自分の背景にあるこの「祈り」を失い、それだけで独り歩きし始めると、それが背負っているはずの意味の厚みは消える。この語はどこかしら手垢がついたような、他人を叩くための便利な道具となる。このことは、私たちが「できる」ことのすべてについて言える。「できる」ことをすることは必要であり、私たちはそれをしなければならない。だが、それは「できない」こと（祈ること）に耐えられないからではなく、無力な祈りの現れであるべきだと私は考える。

しかし、今日、多くの人は（私も含めて）もう祈ることができない。私たちはもう、これほど甲斐ないものに耐えることができない。何もできないことにじっと耐えられるほど、辛抱強くない。それゆえ、私たちは「できること」で――正確に言えば「できること」だけで――「なぜ私なのだ」と言う声に答えようとし、それでよいのだと図太く居直る。「（……）答えのない問いに延々と留まり続けることに何の意味があるんですか。そもそも何が「できる」んですか」そうどこか面倒くさそうに言って扉を

閉ざす。（脇坂真弥『人間の生のありえなさ』、括弧内の補足は引用ママ）

ここで言われている「祈り」とは何か。ヴェイユによれば、祈りとは、「注意力のもっとも高度な形態」である。「まったく混ぜもののない注意は祈りである」とも言っている（『カイエ四』）。すなわち、祈りは、「注意を持って聴くこと」と言い換えても良いだろう。

橋をかけるリベラルアーツ――「尊厳」の発見から「正義」へ

このことについて前述の鷲田氏はさらに次のように言っている。

この「祈り」はしかし、ことばが生まれる前と同様に、ことばがこぼれ落ちた後にも向けられねばならない。聴く者のその聴き方が、ことばを逸らせる場合があるからである。ことばが大きなミットで受けとめられる、迎え入れられるという、あらかじめの確信がないところでは、ひとはことばを相手に預けないものだからである。

（鷲田清一『「聴く」ことの力』）

リベラルアーツで試みたいのは、教師が正義を伝える（例えば、原子力発電には賛成／反対とか、安楽死は認めるべき／否定するべき、など）ことでもなければ、「できること」（権利の主張）を性急に行わせることでもない。それは、脇坂の言葉を借りれば、往々にして「他人を糾弾するための便利な道具としての権利」を教えることになってしまう。リベラルアーツが目指すものはそれではない。リベラルアーツが行おうとするのは、祈るしかできないことに耐えること、すなわちいますぐには答えのない問いに延々と留まり続け、ひたすら他者に注意を傾けることである。そして、ことばが発せられたらそれを聴き、「大きなミットで受けとめ迎え入れること」である。

教室においては、はじめて出会うような意見、口ごもっている相手の意見ほど注意を払って聴く。また、社会においては、「なぜ私が不幸な目に遭うのか、なぜ私の権利は認められないのか」との声なき声、低いつぶやきにリベラルアーツは向き合う。キャンベル氏がいうところの「ここにいないもの、見えなくなっているもの」に注意を向けるのがリベラルアーツである。

特に声なき存在（壊れゆく自然、動物たち、過去の人々、これから生まれる人々、自ら語り得ない人々、距離的心理的に遠い人々）に注意を傾け、尊厳を見出すこと。私たちが彼らに注意を向け、尊厳を認める義務を感じた時はじめて、彼らは自らのことばで語り始め権利が尊重されるという正義が現出するのである。

したがって、私たちが、すぐにはできないことや答えのない問いについて、延々と留まり続け、祈るしかないことに耐えることこそ、リベラルアーツである。リベラルアーツは、私たちの視野や聴取能力の限界、権利同士の戦いの土俵を解き放つために、そして私たちが心の深くで他者への義務に気づきそれを進んで負おうと気づかせるためにある。

リベラルアーツ教育を通じて、私たちは自発的に他者に尊厳を見出し、互いの権利を認めるという義務を積極的に負うことができるようになる、すなわち内発的に正義に目覚めていく。そのように、尊厳から正義へ、ゆっくりと、祈りに近い注意をもって橋架けをするのがリベラルアーツ教育ではないだろうか。

なぜ外国語を学ぶのか——他者のことばを知り自由に飛翔する

最後に、リベラルアーツとして外国語を学ぶ意味について、やはりシモーヌ・ヴェイユと共に考えたい。

思い出すのは、ヴェイユが死の間際にとった行動である。彼女は死の直前の約三カ月を病室で過ごしたが、自らの死を予感しながら最後に何をしたかというと、彼女は以前から興味があり触れたことがあったサンスクリットの勉強を、再開したのだった（「父母への手紙」『ロンドン論集とさいごの手紙』）。

他者のことばであるサンスクリットを読むことこそ、彼女にとって死を迎えるにあたって最もやりたいこと、やるべきことだったのである。すなわち、滅亡に向かいつつ自分と異なるものに尊厳を見出し、これから自分が滅んでまさに一体化してゆく、この世界、この宇宙への愛を確認する、その具体的方法が外国語であったということである。異質なものへの尊敬と世界との一致への希望が、外国語を学ぶ姿勢に象徴的に現れている。ここに、ヴェイユの倫理的基盤に基づく人文知への信が見てとてるように思われる。これこそ、リベラルアーツとして外国語を学ぶ、その学び方の理想型、外国語との接し方の真髄がある。

死期が近づいても、むしろ死期が近づいているからこそ、他者のことば（ヴェイユの場合はサンスクリット語）を学ぶこと。生活を便利にするための、ここにいる人とのコミュニケーションだけではなく、より善く生き、滅ぶための、ここにいない人、すでにいない人との交流も、またむしろそれこそが外国語を学習する意味なのである。まさに、他文化への開きは言語学習を経てこそ可能となり、それこそがわれわれの限界である持続不可能性を超えたわれわれの精神的自由をもたらしてくれる。鳥飼玖美子氏も「リベラルアーツが人を自由にするための学びであるならば、それを可能にするのが言語（……）人間が自由を得て飛翔することを言葉が可能にしてくれる」と述べていたように。

ここでの「飛び立ち」には、当然、死や滅亡に向かう飛翔も含まれるはずである。死や滅亡に直面して、自由に飛び立つこと。それは、悲観的になって自暴自棄になったり、絶望して自殺したりということとは異なる態度である。自らの死期を悟った終末期の人間が、迫り来る自らの死を、自分と世界との一致として受け入れ、世界を信頼しつつ自らを世界に積極的に委ねる行為、まさに人にしかできない、死に向かう際の自由な精神的飛翔である。

石井も、外国語とは、「「知識」「経験」「思考」「視野」という四つの限界のすべてからみずからを解き放ち、自分自身を創造する可能性を手に入れることができる」ものであると述べていた。そしてそれら「四つの限界を超えることによって、それまで知らなかった新しい風景を次々に見せてくれる、限りなく豊かな自由の経験」であるとも言っていた。ヴェイユは死を意識し受容しながら、自由を経験しつつ新たな自分を創造し、世界との一致に飛び立ったのである。

人間が死を迎えることと同様、人類がいつか絶滅し最終的には持続不可能であることは、実は地球や宇宙の歴史から見れば必然である。その中で悲観したり自暴自棄になったりすることなく、この地球上で、この世界において、滅亡への想像力を持ち、終焉を豊かにするため、他者とともによりよく生き延びかつ滅ぶための技法がリベラルアーツであり、その中でも特に外国語学習なのではないか。

これからわれわれに求められるのは、これまでのように、地球から資源を奪うため、他者に権利を要求するための知識偏重教育を行うことではない。これからは、死や滅亡という この世で人間に定められた必然を念頭に、自分が他者や世界に対していかなる義務を感じられるか、リベラルアーツを通して学ぶことである。

運命づけられた死や滅亡に対する謙虚な深い受容があれば、それは残された生を善く生き、善く滅びたいという願いとなる。そうした欲求はわれわれには根源的にある。まさにヴェイユが最も信頼していたのは、われわれの精神、知性の根本にある人文知の倫理的基盤であり、それは善く生きたい、善く滅びたいという人間の根本的欲求への信であった。

死に向かうシモーヌ・ヴェイユが死の床でサンスクリットを学んだように、人生の終わり、人間の終焉を見据えつつ、外国語学習を進めていきたい。それは、ここにいる・いない他者と出会い、共により善く生きそして滅びるため、すなわちそれら他者と共に自由に飛び立つためである。そうした外国語学習こそリベラルアーツに他ならないだろう。

「私」はどこにいるのか

細田衛士

はじめに——言葉の不思議

大学に入学したとき、私はドイツ語を第二外国語として選択した。ドイツ語のクラスの教師はとても教育熱心で、最初の授業のとき何冊かの文法の参考書を示し、実に丁寧に解説してくれた。そのうちの一冊、私が選び取ったのは、三好助三郎著『独英対照文法』(郁文堂、一九七一年)だった。この本の前書きにある文章を読んで自然な驚きと知的な感動を覚えた。それはドイツ語から英語への変遷を説明する文章で、三好は高地ドイツ語と低地ドイツ語の分化、そして低地ドイツ語の系統に属するのが英語だということを次のような例で示している。

高地ドイツ語　Was ist das? Das ist ein Buch.
低地ドイツ語　Wat is dat? Dat is een Bauk.
英語　What is that? That is a book.

以上の変化はグリムが明らかにした規則的な子音推移に従っているということにも三好は触れている。言われてみれば当たり前のような気がしないでもないが、その時は非常に心に響く何かがあった。

さらに驚いたのは、単語にまつわる話だ。「現代英語の単語は、統計によるとその五五%がローマン語系であり、三五%がゲルマン語系となっている」。しかし「George Marshの統計によると、Shakespeareでは九〇%、Bibleでは九四%のゲルマン語系の単語が用いられている」というのだ（同書、五頁）。なんと知的好奇心を掻き立てる話ではないか。言葉は縦横無尽に変化するのだ。この時、言葉に対する感覚の制約が一つ外れた。

「私」を曖昧にしないということ

英語は文法的にはドイツ語、単語的にはローマン語からも大きな影響を受けていることが私の言葉への興味を掻き立てた。ドイツ語を学ぶことによって英語をより深く知るようになり、似ていながら異なっている二つの言語を比較しながら面白くドイツ語を学んだものである。なぜドイツ語の動詞の語形変化は英語のそれとかくも異なるのか、そもそもなぜドイツ語には厳格な格変化なるものがあるのに英語にはそれがないのか、あるいはなくなったのか興味は尽きない。

しかし私が英語やドイツ語を学んだ時から常に考えていた別の問題がある。それは、なぜ英語やドイツ語では主語を原則省略しないのに日本語では省略が許されるのかという問いである。もちろん、英語やドイツ語でも主語を省略する場合はなくもないが、日本語の省略度合いとは大いに異なる。そしてもう一歩突っ込んだ問いが頭から離れないでいた。それは、主語を省略するしないの相違が私たちの思考にどのような影響を与えるかということである。むろん、このようなことはすでに言語の専門家が解明しているに違いないが、一経済学者が異なったアングルから問いかけをすることにはそれなりの意味があるのではないか。このような問いかけはリベラルアーツ的な考え方に沿っているのではないか、そう思うのである。

一人称で考えてみよう。英語やドイツ語の通常の文章、会話では“I”や“Ich”は省くことは可能だと思うような場合でも、決して省かない。例えば、“I think so.”とは言っても“Think so.”とは言わないだろう。ドイツ語でも“Ich glaube so.”とは言っても、“Glaube so.”とはあまり言わないはずだ。一方、日本語の会話では、「そう思う。」とは言っても「私はそう思う。」と「私」をつけて言う場合は少ないように思われる。あえて「私」をつけると自分の考えを強調しているように聞こえるのではないか。

イタリア語のように、“Sono giapponese.”と主語を省略する場合もあるようだ。だが、主語の“io”を省略しても動詞の変化によって「私」が主語であることは明らかで、省いていないのとほとんど変わりはない。英語では、“Am Japanese.”ドイツ語では“Bin Japaner.”と言うことはない。主語の“I”や“Ich”は省略してもよさそうなのに省略しない。一方、日本語は動詞の変化がないのに主語を省いてしまう。文法的には主語は同定できないはずだ。しかし、「そう思う」と言ったとき、「あなた」や「彼女」ではなく「私」が「そう思っている」ことは推察される。

もとより、日本語以外にも主語を省略できる言語は多くある。その代表例は中国語らしい。モンゴル語、朝鮮語・韓国語なども主語を省略できるという。むしろ主語を省略できる言語の方が多いのかもしれない。

主語を省略する言語が多数派なのか少数派なのかについての議論は別にして、主語を省略しない、あるいは省略できるにしても動詞の語形変化によって主語が明確になる言語はその言語を使う人々の思考形態を表しているのではないか、と問うことは自然であろう。特に一人称「私」の明示的な表現は話者の存在の明確化であり、人間の在り方そして思考を規定する上で重要な要素となると思われる。

逆に、書かれたものであろうと会話によるものであろうと、言葉の表現から「私」を省略する社会において、「私」の存在は一体どう捉えられるのだろうか。「私」をどのような存在として捉えるのか、そして「他者」をどのような存在として捉えるのか、それは曖昧になりがちなのではないだろうか。

かつてこんな体験をしたことがある。アメリカ人の友人と一緒に小さな画廊を歩いていた時のことだ。彼女はある作品の前で足を止め、満足げにこうつぶやいた。"I love this." この言葉に私は少し不思議な気持ちがした。私なら、日本語では「この絵、良い絵ですね」と言うだろう。「私はこの絵がとても好きです」とは言わない。前者の表現では「私」は消え去っている。あたかもその絵の良さが周囲の人々に共有されているかのように表現しているのだ。そのようなことをとっさに考え、アメリカ人の感覚そして表現との違いに不思議な感じを抱いたのである。

また、こんな経験をしたことがある。アメリカ帰りのある日本人の女性をゼミで教える機会を持った。彼女はアメリカ暮らしが長い学生で、当時は、日本語よりも英語の方に長じていた。ゼミ終了後、彼女と話す機会を持ったのだが、日本語で話しているときは教師である私との関係を感じたせいだろうか、自分を押し殺すかのごとく実に丁寧に話していた。ところが、その後英語で話し始めた瞬間、身振り手振りを交えて、友達のような感じで私との距離感などお構いなく自分の考えを捲し立て始めたのだ。もちろん、"I"は忘れない。使用言語の転換によって思考の転換のスイッチが入ったかのようだった。

個を問い詰める――個と社会

主語を省かない言語では、話者すなわち「私」がつねに明示的に示される。逆に、主語を省き、主語を明示化しない場合、「私」の存在は曖昧になってしまう。英語やドイツ語と日本語のこのような相違は、「私」あるいは「個」に対する考え方に大きな影響を与えないわけがない。そして、「私」を明示化するかしないかの違いは、「個」と「社会」の関係性についての考え方にも大きな違いをもたらすはずだ。こう考えると経済や社会に対する西欧の人々（ここでは大括りにこのように呼ぶことにする）と日本人の考え方の違いが見えてくるように思えるのだ。

思想史的に言うと、「私」をきわめて明確な形で示し、「私」をもってものごとの存在の根拠たらしめたのは、いうまでもなくデカルトだろう。すべての存在を疑い、すべてが自分の夢だと考えたとしても、疑っている「自分」は疑えない。疑っている自分を疑ったとしても、そのように疑っている自分を疑っていることは疑えない。この問いは果てしなく続く。ということは、存在の大元は疑い続ける「私」の存在であって、それは決して疑えないということになる。

高校時代、『方法序説』や『省察』を読んでこのデカルトの論理に出会ったとき、正直魅了された。すべての存在の基礎は「私」にあるのだ。「私」あるいは「個」を問い詰めてゆくその鋭利な思考力、「私」から出発して論理を積み上げ、明晰判明に認識できるもののしか存在を認めないという論理の迫力に圧倒されたのだ。

「私」や「自我」を考え詰めると、当然「あなた」「彼」「彼女」が一体どのような存在なのか気になってくる。良識あるいは理性は万人に等しく共有されていると推測されるから、きっと自分と同じような存在が「他者」として存在しているに違いない。そう考えるのが自然である。しかし、"Cogito"すなわち「個」の問い詰めによって存在や認識を突き詰めたデカルトだが、私の見立てによれば、「個」と「社会」の関係性の議論は希薄である。「個」から出発して社会の形成を深く論じた形跡があまりない。なぜ、「個」と「他者」との関係性、すなわち社会の形成に関心を持たなかったのだろうか。

この点に関して平岡昇の面白い指摘がある。彼は次のように言う。「十八世紀まで個人の意識は極めて薄弱であった。(……)真に社会が巨大な機構を持つ明白な実在として把握されるには「個人」が真に存在しはじめた市民革命以後の十九世紀の歴史意識まで待たねばならなかった」(平岡昇「ルソー」『世界の名著38』中央公論社、一九七八年、五三頁)。平岡の主張が本当ならば、市民革命以前を生きたデカルトは「個人」「自我」の意識でこそ徹底的に問い詰めたものの、人と人との関係性、社会の形成まで問い詰めるには至らなかったことになる。

ここで注目したいのは、平岡が「市民革命」あるいは「市民社会の成立」に関わらせて「個人の意識」を考えている点である(その時代の特定にはやや疑問が残るが)。確かに、市民社会の成立前後、ホッブスあたりから西欧の思想家たちは「個」と「社会」の関係を急速に掘り下げるようになる。ルソーもロックもそうだ。「個」が連なって関係性を持ち社会が形成されるが、それはどのような原理で形成されるのか、またそれはどのような性質を持つのかを真剣に問い詰めるようになったのだ。

彼らにとって重要なのは、社会契約である。「万人の万人に対する戦い」から出発するホッブスにしても、自然人から乖離した個人を再び繋ぎあわせようとするルソーにしても、個人と個人の間での「契約」によって市民社会が形成されると考える点では同じである。

経済学者として知られるアダム・スミスにしても、「個」から出発していかに社会すなわち人間と人間の関係性が築かれるか説明しようとする点では変わらない。ただ、スミスの画期的な指摘は、経済的な意味で利己的に行動する「個」の行動が市場経済取引を経由することによって見事な調和の世界に導かれると言う点である。社会契約よりも経済の利己的動機を重くみる。ただし一方で、人と人とを結びつける重要な紐帯が共感であることを指摘するのも忘れない。利己的動機にせよ共感にせよ、いずれにしても個から社会への道筋をたどるという点は同じである。

ヘーゲルのように市民社会を「個」の間の社会契約として捉えるのではなく、「民族精神」や「世界精神」、はたまた「絶対精神」のような概念を持ち出して説明する哲学者まで現れたが、ヘーゲル左派になると「類的人間」の側面が強調される。やはり「個」の織りなす関係性が社会をそして世界を形作るのであり、だからこそ「類」としての人間存在こそが意味を持つと考えたのである。こうした考え方を経由してマルクスが経済社会の歴史を弁証法的唯物論的に極めて鮮明に示そうとしたのは有名な話だ。ドイツ観念論による「個」と「社会」の関係性の考え方をバッサリ切り捨て、マルクスは、労働者がブルジョワの資本力によって強制的に関係付けられたのが経済社会であると考えた。であるから、資本主義の経済社会では個人は本来あるべき姿の人間ではなく、疎外された存在でしかない。経済的にはつながっているが、人間と人間の関係としては切れたままだからだ。こうして、マルクスはヘーゲル哲学を放棄・止揚して独自の哲学・経済学を築いたわけだ。そして真の人間社会の紐帯のあり方を展望したのだ。

さて、ここで日本人の場合、「個」と「他者」の関係に対する考え方はどうであったか考えてみたい。日本思想史に通暁していない私には詳しくはわからないが、田尻祐一郎は、伊藤仁斎の思想を取り上げて次のような興味深い指摘をしている。「「人」と「我」と言う言葉を仁斎が選んだ時（父子や兄弟も「人」と「我」の関係である）、その「人」は、私たちの言葉で言えば〈他者〉であって、自分から切れた、〈他者〉とどのように繋がるのかという問題に、仁斎は向き合っている。」（田尻祐一郎『江戸の思想史』中公新書、二〇一一年、九一―九四頁）すなわち、仁斎は「他者性」を発見したというのが田尻の主張なのである。「他者」を発見したのだから、当然「我」すなわち「個」も発見した訳であり、だからこそ「我」と「他者」の関係性について論じているのだ。

仁斎より以前は、「五倫」という言葉に代表されるように、儒教思想の影響を受けた日本では、父子・君臣・夫婦・兄弟・朋友（五倫）の関係性あるいは秩序が当然のこととして重んじられていたから、「我」や「個」が強調されることはあまりなかったに違いない。「個」は五倫の関係性の中に埋もれた形になってしまう。であるから、「他者性の発見」という点では、仁斎は特異な思想家と言えるだろう。

仁斎はデカルトよりも三一歳若いだけで、生きた時代はかなり重なっている。ということは、フランスなどの主語を曖昧にしない言語の国・地域であろうと、日本のように主語を省いてしまう国・地域であろうと、程度の差こそあれ、一七世紀頃までは「我」と「他者」についてそれなりに似たような思考方法をとっていた思想家がいたということだ。仁斎がその時代の日本で特異な存在であった可能性はあるにせよ、彼我の考え方の異同を考える上で参考になる。

それでは、なぜその後、日本と西欧で社会の形成に関する考え方が大きく異なってしまったのだろうか。伊藤仁斎の活躍にもかかわらず、日本では、「個」から出発して「他者」との関係性を考えるという方向には進んでいないように思われる。むしろ、「個」は元々存在する五倫のような関係性の中に埋もれてしまったと考えて良いのではないか。仁斎のような思想家は稀で、日本の多くの思想家たちは「個」の存在から出発して「社会」

の形成を考えることなどしない。元々存在する人と人との関係性、全体性を重んじるあまり、「個」の存在などはほとんど論じないのだ。そうした考え方は、壮大なる関係性の権化とも言うべき「国体」の思想にまで高められた、というのは言い過ぎだろうか。

王様の首を切ってまで市民社会を築き上げ、「個」から出発して「社会」の成立を徹底的に考え抜いた西欧の人々と、曖昧模糊とした「国体」に人間の関係性を昇華させ、「個」の存在を関係性の中に埋もれさせてしまった日本人との間に考え方の大きな差を感じないわけにはいかない。この差が言葉の違いによって生まれたなどと主張するつもりは毛頭ないが、主語を省くか省かないかという言葉の相違が思想形成に何らかの影響を与えたと考えてもおかしくはない。

個と自然

主語を省くか省かないかという言葉の問題から、素人なりに、「個」と「社会」の関係性に関する西欧人と日本人の考え方の違いについて述べてきた。さらに大胆に、「個」と自然の関係性に関する彼我の考え方の違いにも述べておきたい。なぜなら、「私」ないし「個」から出発して「他者」を見る考え方は、自然についても当てはまると思えるからである。

つまりこういうことだ。「私」を存在や認識の基礎として据え、そこから「他者」や「社会」に認識を広げて考える人々は自然をも同じように認識するのではないかということだ。すなわち、西欧人は自然を他者として、あるいは自分に対峙するものとして認識しているのではないだろうか。一方、「私」を曖昧にする日本人は自然と対峙せず、人間と自然の境界を曖昧にしてしまうのではないだろうか。

ごく月並みで定型化した物言いをすると（ということはかなり雑駁な見方であるということを承知の上であるが）、ギリシア哲学の影響を大きく受けた西欧の人々は、自然をイデア―形相―質量をいう形で捉える。そこにキリスト教的な神概念が加わってくると、自然とは神のイデアに基づき、形相を満たす質量によって人間の前に与えられたものであって、人間は神の意志に背かない限り自由に自然を制御することができる、ということになるだろう。

自然は人間と向き合った形で存在しており、人間は良くも悪くも常に自然と対峙している。だから人間の手で目の前に存在する自然を改良することは許されるのである。もちろん、現代ではこのような考え方に修正が迫られているのは西欧の人々も深く認識している。むしろ、自然を人間に対峙したものと見るからこそ、人間の手によって破壊されてきた自然も明瞭に見ることができるのであり、そうした行為に猛烈な反省の意識を持つのではないかと思われる。

他方、日本人はどうだろう。「私」を言葉の表現から隠し、人と人との関係性の中に「私」を埋没させがちな日本人は、自然についても同様に感じているのではないか。つまり、自然との関係性の中に自分を埋め込んでしまうのではないか、そう思われて仕方がないのである。

実際、自然《じねん》とは「自《おの》ずから然《しか》らしむ」もの、生々流転するものである。あるいは「淀みに浮かぶうたかた」のごとく「かつ消えかつ結びて」のようなものであり、人間が対峙するような相手ではない。むしろ、人間もその中の一部であり、溶け込んでいて、自然の中で生々流転する、だからこそ無常観やもののあわれといった考え方が出てくるように思われるのである。

自然環境が自分に近い分、自分が自然環境に影響を与えていることに気づきにくい。自分と同じ側にある、あるいはその中にどっぷり浸かっているからである。だから、自分と同じ側にある自然を破壊し尽くすことなど考えもつかない、気がついた時にはもう遅い、大事な自然環境を破壊し尽くしてしまう、という訳である。

ここで、似たような情景を目の前にして、また一見同じような感情を持ちながら、言語が異なるとかくも表現が異なるのかと感じさせる二つの詩を紹介したい。最初は、和歌の名人藤原定家の三一文字、次はロバート・フロストの高校の英語の教科書にも出てくるほどの有名な詩“Stopping by Woods on a Snowy Evening”である。フロストの詩はやや長いので、最初と最後の段落のみ引用する。

駒とめて袖うちはらふかげもなし佐野のわたりの雪の夕暮　（藤原定家）

“Whose woods these are I think I know.
His house is in the village though;
He will not see me stopping here
To watch his woods fill up with snow.
……
The woods are lovely, dark and deep,
But I have promises to keep,
And miles to go before I sleep,
And miles to go before I sleep.”　(Robert Frost)

定家の和歌では「私」が自然の中に溶け込み表に出てこないのに対して、フロストの詩では自然と向き合う"I"が明確に表現されている。この表現の違いに驚きを感じざるを得ない。

おわりに

外国語を学ぶと母国語を相対的に見ることができるようになる。これは半ば当たり前のことである。しかし実際はそれ以上であって、外国語を学ぶことによって、母国語ばかりか、自分の思考方法、思考内容さえも相対化できる。とりわけ「私」ないし「個」と「他者」との関係性、すなわち「個」と「社会」の関係をどう見るのか、この違いが明確になるように思われる。

福澤諭吉は『学問のすゝめ』で「一身独立して一国独立す」と近代国家における「一身の独立」の重要性を主張した。つまり「一身の独立」が果たせていない日本、「個の独立」いな「個の確立」ができていない現実を目の当たりにして、社会が激変する中でそのような状況から脱すべきことを主張したのである。「一身の独立」が果たせないようだと、一国が独立できるはずがない、これが福澤の考えだ。

福澤の主張にもかかわらず、いまだに「一身の独立」が果たせていないのが日本人ではないだろうか。「空気を読む」という言葉に代表されるように、人と人との関係性の中に自分を埋め込むことにあまりにも慣れ親しんだ日本人にとって、「一身の独立」は福澤が考えたよりはるかに難しいことなのではないだろうか。言葉と思考が深く絡まりあっている以上、そうは簡単に脱皮できないのかもしれない。

外国語を学ぶと自分の思考を相対化できると書いたが、複数の外国語を学ぶとより多面的に自分の思考を考え直すことができる。つまり、従来自分が持っていた思考の制約から自分を解き放つ可能性が増えるということだ。最後に三つの言語で表した同じ表現を書いて本稿を閉じることにしたい。

初めてあった人に挨拶する時、

日本語では、「お会いできて嬉しいです。」

英語では、"I'm very pleased to see you."

ドイツ語では、"Ich freue mich Sie zu sehen."

となる。日本語では「私」はいないが、英語では一つ（"I"）、ドイツ語では二つ（"Ich"と"mich"）となる。日本人としての「私」はどこにいるのだろうか。この問いは私の頭から離れることはない。

森鷗外の訳詩からリベラルアーツを思う

坂井修一

森鷗外の翻訳

岩波版『鷗外全集』を眺めると、この巨人の仕事の中で、翻訳の占める割合がいかに大きかったかがわかる。中でも高名なのがアンデルセン『即興詩人』の訳で、今でもイタリア旅行にこれを携える文化人や愛書家が後を絶たない。ゲーテ『ファウスト』、ワイルド『サロメ』、アンドレーエフ『人の一生』などの訳も知られるところだ。

さて、本稿の私は、鷗外初期の訳詩をとりあげて、若き日の彼が文芸家としてどんなことを思い描きながら翻訳をしたのか、考えてみたい。その上で、明治中盤と大正初期の知識人の思索や情動のありかについて思いをめぐらせ、日本人の「リベラルアーツ」のありかたについて思うところを記しておきたいと願う。

訳詩集『於母影』と「ミニヨンの歌」

鷗外がドイツ留学から戻って翌年（一八八九年）、さっそく彼の文芸活動が本格化する。最初の成果のひとつが訳詩集『於母影』である。

折柄、明治二十年代初頭の文学界に新機運が起こり始めていた。新帰朝者、鷗外の文学啓蒙－評論や翻訳活動は、その促しに美事に適合するものであった。明治二二年五月末、上野花園町の赤松家の持家に引越し、彼の周辺に落合直文、井上通泰、市村瓚次郎、弟篤次郎、妹喜美子らの新声社（S、S、S、）の集まりができ、文学芸術上の座的な雰囲気が漂い始めた。訳詩集『於母影《おもかげ》』（「国民之友」夏期付録、明治22・8）はそのムードの中から生まれた。西洋の近代詩のおもかげを芸術的香気の高い典雅な日本語で表出するというこころみは、時代の若い人々に強烈な影響を与えた。

（竹盛天雄「評伝」『新潮日本文学アルバム　森鷗外』）

西詩を最も早く原詩の香をいく分でも保存して移しえたのは、実に『於母影』であつた。『於母影』のみであつた（……）

新らしい悲哀をもたらし新しい悒鬱を導き入れ、新らしい歓喜を吹き込んで、荒燥粗雑な日本青年の小汚い足を近代詩壇の燦然たる一室に追ひ入れたのはこの詩叢の功績である。

（日夏耿之介『明治大正詩史』）

『新体詩抄』が無視していた芸術性を誇示し、その後の近代詩の展開に決定的な影響を与えたのは、明治二二年（一八八九）に出たもう一つの訳詩集『於母影』である。

（亀井俊介「明治・大正の名訳詩集」『名詩名訳ものがたり』）

ここでは、まず『於母影』の中から森鷗外が訳したと言われる「ミニヨンの歌」をあげて、彼の訳業が何であったかを見てみよう。訳法の分析をするのがこの文章の目的ではないが、鷗外がどのような工夫をしたかを観察し、その文芸心理を思いやってみることから始めてみたい。

「ミニヨンの歌」は、ゲーテ作『ヴィルヘルム・マイスターの修行時代』第三章冒頭で薄幸の少女ミニヨンの歌う歌である。ミニヨンは、「あたしのお父さん」とヴィルヘルムに愛の告白をしたばかりだ。

まずはドイツ語の原詩から。

Kennst du das Land, wo die Zitronen blühn,
Im dunkeln Laub die Gold-Orangen glühn,
Ein sanfter Wind vom blauen Himmel weht,
Die Myrte still und hoch der Lorbeer steht?
Kennst du es wohl?
Dahin! dahin
Möcht ich mit dir, o mein Geliebter, ziehn.

Kennst du das Haus? Auf Säulen ruht sein Dach.
Es glänzt der Saal, es schimmert das Gemach,
Und Marmorbilder stehn und sehn mich an:
Was hat man dir, du armes Kind, getan?

Kennst du es wohl
Dahin! dahin
Möcht ich mit dir, o mein Beschützer, ziehn

Kennst du den Berg und seinen Wolkensteg?
Das Maultier sucht im Nebel seinen Weg;
In Höhlen wohnt der Drachen alte Brut;
Es stürzt der Fels und über ihn die Flut!
Kennst du es wohl
Dahin! dahin
Geht unser Weg! O Vater, laß uns ziehn!

（Johann Wolfgang von Goethe, *Wilhelm Meisters Lehrjahre*）

次に、参照のため、原詩に忠実な訳として、高橋健二によるものをあげてみる。

ミニヨン（高橋健二訳）

君や知る、レモン花咲く国
暗き葉かげに黄金《こがね》のオレンジの輝き
なごやかなる風、青空より吹き
テンニン花は静かに、月桂樹は高くそびゆ
君や知る、かしこ。
かなたへ、かなたへ
君と共に行かまし、あわれ、わがいとしき人よ。

君や知る、かの家。柱ならびに屋根高く、
広間は輝き、居間はほの明かるく、
大理石像はわが面を見つむ、
かなしき子よ、いかなるつらきことのあるや、と。
君や知る、かしこ。
かなたへ、かなたへ

君と共に行かまし、あわれ、わが頼りの君よ。

君や知る、かの山と雲のかけ橋を。
ラバは霧の中に道を求め、
洞穴に住むや古龍の群。
岩は崩れ、滝水に洗わる。
君や知る、かしこ。
かなたへ！　かなたへ
わが道は行く。あはれ、父上よ、共に行かまし！

最後に『於母影』の鷗外訳。

ミニヨンの歌（森鷗外訳）

「レモン」の木は花さきくらき林の中に
こがね色したる柑子は枝もたわゝにみのり

青く晴れし空よりしづやかに風吹き
「ミルテ」の木はしづかに「ラウレル」の木は高く
くもにそびえて立てる国をしるやかなたへ
君と共にゆかまし

高きはしらの上にやすくすわれる屋根は
そらたかくそばだちひろき間もせまき間も
皆ひかりかがやきて人がたしたる石は
ゑみつゝおのれを見てあないとほしき子よと
なぐさむるなつかしき家をしるやかなたへ
君と共にゆかまし

立ちわたる霧のうちに驢馬は道をたづねて
いなゝきつゝさまよひひろきほらの中には
もゝ年経たる竜の所えがほにすまひ
岩より岩をつたひしら波のゆきかへる

かのなつかしき山の道をしるやかなたへ
君と共にゆかまし

ここで、点線は語順の大幅な変更があった箇所、傍線は原詩にない表現を示す。これらに加えて鷗外訳では、**Orangen**（オレンジ）は「柑子」、das Gemach（居間）は「せまき間」、**Es stürzt der Fels**（岩が落ちる）を「岩より岩をつたひ」など、語や文の大きな改変が行われている。その他、**Kennst du es wohl?**（君や知る、かしこ）と各連最後の **o*** ziehn**（***よ、共に行こう）はすべて省略されている。

原詩の各連は七行から成り、五、六連を除いてすべて一〇音である。鷗外訳では、各行は一〇音＋一〇音を基調とする句となり、七行が行とされている。

これがドイツ語訳のコンテストであれば、高橋健二訳が優勝で、鷗外訳は選外佳作だろう。そして、その「選外佳作」にこそ、若き鷗外が心血を注いだ秘密が隠されていると思われる。

『於母影』の訳は、そうとうに深い思索と潑剌たる感性が生み出したものである。一〇＋一〇などという特異なリズムを創造しなくても、自由律の訳ならずっと楽だったはずだ。あるいは、五七調ないし七五調の伝統的な長歌形式の訳も容易にできたはずである。実際、バイロンやハイネの訳ではそうしている。だいいち、訳をする仲間には歌人の落合直文がいたのだから。

あえて自由律をとらず、あえて和歌の様式をはずして、ゆったりと一〇音を重ね、新しい時代の浪漫の雰囲気を醸し出す。それも、和語の美を損なわずに。これは意訳を超える大胆な翻案であり、ゲーテを換骨奪胎した日本語の芸術の創造と言ってもよいだろう。

篇中の訳詞を誦して、ゲエテの『ミニヨンの歌』に至る時、誰しもその妙技を讃歎せぬものはなからう。わたくしはこれを以てわが邦に於ける訳詩の白眉とするに躊躇しない。

（蒲原有明「草創期の詩壇」『文章世界』明治40・1）

じっさい、「ミニヨンの歌」は、多くの詩歌人たちに影響を及ぼした。島崎藤村「新泉」（明29）、与謝野晶子「つみびと」（第四連）（明37）、薄田泣菫『白羊宮』（明39）、木下杢太郎「柑子」（明41）、北原白秋『邪宗門』（明42）、与謝野寛『相聞』（明43）、吉井勇『酒ほがひ』（明43）、佐藤春夫『閑談半日』（昭9）などがこれである。

知るや君かしこに湧ける泉あり

嵐も知らぬ熱き日に
もゆるさゆりの花ぬれて
汲めどもゝ湧きいづる
かしこにゝ
流るゝ泉
渇ける旅の姿して
君と行かましかの泉
（島崎藤村「新泉」第一連）

かくもいみじきつみ人の
ふるさとこそは君しるや
はたまた美《よき》をつみ人と
名づくる国へつれこしや誰
（与謝野晶子「つみびと」第四連）

鷗外の文化意思

「ミニヨンの歌」で鷗外が試みたのは、原作者ゲーテの詩の香気を損なわず、和語の美を活かし、しかも、古典の文体ではない新しい文体で、近代日本の新しい抒情を編み出すことだった。この国の詩歌の歴史を振り返れば、それが成功したことは疑いを得ない。

ここでもう一度、原詩・高橋健二訳と比較しながら鷗外訳を振り返ってみたい。

鷗外訳は、ゆったりした浪漫的なリズムとともに、形容詞・副詞の用法に特徴があることに気づく。「枝もたわゝに」「やすくすわれる」「せまき間」「なつかしき家」「かのなつかしき山の道」などがこれである。原詩にはない感傷表現といってよいのだろう。原詩の香気だけでなく、鷗外が加えたこれらの独自の表現が、明治の若者たちに大きな影響を与えたのである。

これは何を意味するだろうか。

ドイツ留学から戻った鷗外は、ヨーロッパの詩を翻訳するさいに、西洋の文化風土をそのままに輸入しては、多くの日本人の共感を呼ばないことを知っていた。一八八九年といえば、大日本帝国憲法が発布された年。やっと近代国家の体裁が整い、世界に伍していくための第一歩が刻まれた頃である。そんな時に、思想の進んだ国の文学をそのまま持ち込んでは、「我々にはまだ遠い」と敬遠されてしまうだろう。ここでは、日本の伝統的な湿性の文化との接続が必要だった。

『於母影』の翻訳作業をしているとき、鷗外の中では、文芸家としての意地と、文化戦略家・啓蒙家としての配慮が衝突を繰り返したことだろう。その結果として、どちらの立場でも一定の満足が得られる表現が得られたときに、「ミニヨンの歌」が成ったのだと考えられる。

これは、後の上田敏などにも通じる文化意思のあらわれと見てよいのではないか。特に「テエベス百門の大都」（木下杢太郎）と讃えられた総合文化人・知識人である森鷗外の場合は、西洋と日本を知情意の総体としてつなごうという新しい文化意思の一部であったかと思う。

『沙羅の木』の訳詩

時代は下って一九一五年、鷗外は、詩歌集『沙羅の木』を著す。「ミニヨンの歌」から四半世紀後のことだ。

『沙羅の木』には、全部で二三篇の訳詩が収められている。その中で、文語で訳されたものは三篇だけで、他はすべて口語自由律の訳である。

ここでは、クラブント作「神のへど」をあげて、大正期の鷗外の翻訳を観察してみよう。

Es hat ein Gott　　Psend Klabund

Es hat ein Gott mich ausgekotzt,
Nun lieg ich da, ein Haufen Dreck,
Und komm and komme nicht vom Fleck.

Doch hat er es noch gut gemeint
Er warf mich auf en Wiesenland,
Mit Blumen selig bunt bespannt.

Ich bin ja noch so tatenjung.
Ihr Blumen sagt, ach, liebt ihr mich?
Gedeihr ihr nicht so reich durch mich?
Ich bin der Dung! Ich bin der Dung!

神のへど（森鷗外訳）

どの神やらがへどをついた。
其へどの己は、其場にへたばつてゐて、
どこへも、どこへも往くことが出来ない。

でも其神は己のためを思つて、
いろいろ花の咲いてゐる
野原に己を吐《は》いたのだ。

己は世に出てまだうぶだ。
おい、花共、己を可哀く思つてくれるのか。
お前達は己のお蔭で育つぢやないか。
己は肥料《こやし》だよ。己は肥料だよ。

神様が吐き捨てた反吐が、美しい花を咲かせる肥料となる。寓意に富む詩である。

この詩は、読者をあられもないホンモノの世界へと覚醒させ、次元のちがう抒情にいざなう。先の「ミニヨンの歌」からはかけ離れた世界観であり、抒情質であろう。

こうした訳詩の背景には、日清・日露の戦争体験、大逆事件を目の当たりにした苦悩、明治天皇崩御のさいの乃木希典大将の自刃の衝撃などがあるのだろう。大逆事件の後、鷗外は時代の閉塞感や陰気さを感じて五条秀麿物（『かのやうに』など）を書き、また乃木の自決の後では、『興津弥五右衛門の遺書』や『阿部一族』を物している。さらに、表現法としては、幸田露伴の短詩の影響があったと言われている。

新しい時代、特に日本という国が明るいとは言えない局面を迎えつつあった明治末から大正初期、鷗外のとった表現法は、和風の感傷的なものではありえなかった。

訳詩作詩の中に試みた最初の開拓は、新劇に於ける先駆者としての功績、小説界に与へられた新感覚とひとしく、かれの鋭感と先見と進んで実行する信念の確実とを実証するもので、（クラブント「神のへど」訳）のごとき、その翻訳の年月は、今定かでないけれども、大正四年に出た詩集である以上、晩くても二、三年中の業とおぼしい（「神のへど」訳初出は「我等」一九一四年六号）が、その頃これだけに口語の詩を易々とこなしたのである。かつてその人は『即興詩人』の幽雅体、『水沫集』の婉麗体を事とした人である。それを考へて見ても、かれが如何に言語を使駆するの自在であるかを、特に感情と言葉との因襲と惰勢とにとらはれず、詩情の赴くがまゝに易々と新文体に入りうる自在と柔軟と聡明とを持つてゐたかを悟ることができよう。

（日夏耿之介『明治大正詩史』）

この鷗外の非感傷的でシャープな口語々感は、ある意味で朔太郎よりも、ずっと新しいのである。鷗外の『沙羅の木』をみるとき、わが国の現代自由詩は、このような先覚の驚異的な感性と識見によって、今日の生長をとげてきたものであることを、つくづく思わないではいられないのである。

（村野四郎「鷗外の訳詩」『明治文学全集』三一巻・月報一五）

端的に言えば、「神のへど」は詩の内容とともに、翻訳もまた前衛芸術家のものである。鷗外はこのとき、日本の誰よりもアナーキーな言葉の使い手だったのだ。

さきの「ミニヨンの歌」とは打って変わって非感傷的で前衛的な翻訳もまた、一つの文化意思の表明であろう。近代日本は、社会的にも文化的にも、新しい局面に入った。それは必ずしも鷗外が望むものではなかったが、それならそれで新しい文学の形はある。そんな意地が声となって聞こえてきそうである。

文化意思とリベラルアーツ

森鷗外は、明治中盤と大正初期にどのような意図をもってドイツの詩の訳をやっていたか。すでに述べたように、そこには、彼の時代認識と文化意思が大きく作用していたに違いない。

近代の始まりには、鷗外は西洋と日本を抒情詩の世界でいかに接続するかに腐心した。その痕跡が「ミニヨンの歌」をはじめとする『於母影』の訳詩に見られる。この訳は、島崎藤村や浪漫系の詩歌人に絶大な影響を及ぼした。いっぽうで、『沙羅の木』の翻訳の影響は限られていたかもしれないが、室生犀星や萩原朔太郎といった次代を代表する詩人たちに強く作用したようである。

森鷗外の文化意思は、訳詩という作業を通して、心ある若者たちに伝達された。教育というと語弊があるが、これは一種のリベラルアーツと言えるのではないか。

もちろん、森鷗外の訳業は、詩にとどまらない。文学だけにもとどまらない。コッホの細菌学やクラウゼヴィッツの『戦争論』を講じるなど、実学系の貢献も抜群のものがある。

大逆事件のときは、弁護士の平出修を相手に無政府主義・社会主義について講義したりしている。

鷗外にとって、翻訳は、単に西洋の文化や学問や社会制度を輸入するにとどまらず、近代日本の人々を啓蒙し、西洋との文化的思想的接続を果たすための広がりと深みのある営為だった。そのために彼は、自分の持てる知情意を全面展開したように見える。

この文化戦略はよく的を射たものであったが、近代日本の時代の制約を鷗外に課すものでもあった。鷗外には『澁江抽斎』『伊澤蘭軒』はあっても、真に自由な着想からの『ファウスト』や『神曲』に当たる壮大な叙事詩はない。これは彼の資質の限界というよりは、この国の社会の限界であったように思うのだが、さて、本当のところどうだっただろうか。

外国語は存在している

國分功一郎

身振りと言語――マックス・ピカートの考察

あるエピソード

ペットのイヌやネコを飛行機で外国に連れて行くとき、彼らが小さな檻に入れられて貨物室に置かれるということを知ってギョッとしたのをよく覚えている。彼らはどんな気持ちであろうか。恐ろしいのは、貨物室に置かれるということではない。この先、見たこともない場所に置き去りにされた自分にどんな運命が待ち受けているのか全く知るよしがないということである。人間ならば、檻に閉じ込められ貨物室に入れられたとしても、説明さえ受ければその後の己の運命を知ることができる。驚くべきは、動物にはこのあとどうなるのかを絶対に説明することができないという事実である。絶対に説明できない。どれだけ心通じ合っているように感じているペットであっても、「長いフライトになるけれど、きちんと到着後にあなたを迎えにいくから心配はないのよ」とどれだけ説明しようとも、この近い将来の予定をペットに説明することは絶対にできない。別れ際に、ペットが理解してくれたかのような表情を見せたように思えたならば、それは飼い主の気休めである。その表情は死を覚悟したそれであるかもしれない。

このように言えるのは、もちろん、人間には言語が使えるが、ここで例として念頭においている動物にはその人間の言語が使えないからである。最近では人間以外の少なからぬ種類の動物が音声的なサインを使っていることが分かってきているという。「音声的なサイン」と言ったのは、それをとりあえずは人間の言語と区別するためである。両者が同じ水準に位置づけられるのかどうかは本稿ではとても取り組むことのできない巨大なテーマである。ただ一つ言えるのは、先の事例から、人間の言語にしかできないのかどうかは分からないが、少なくとも人間の言語にはできるし、しかも人間の言語にとって欠くべからざるものだと言いうる、ある特徴が引き出せるということである。

身振りと衝動

その特徴の輪郭をなんとか描き出すために、スイス出身の医師・著述家、マックス・ピカートの著作『沈黙の世界』（一九四八年刊。邦訳、みすず書房、二〇二一年）を参照してみよう。沈黙という現象に注目して言語、人間、現代社会を考察したこの著作の中でピカートはこんなことを述べている。「コンディヤック、メーヌ・ド・ビラン、ベルグソン等のように、言葉のみなもとを身振りに求めようとするのは誤りである」（四八頁）。どういうことだろうか。

ピカートによれば、身振りは言語とは全く違った水準にある。身振りが発達すれば言語に辿り着くのではない。その間には大きな隔たりがある。ではその隔たりとは何か。ピカートによれば、身振りはそれを引き起こしたさまざまの衝動から解放されていない。身振りはいまその身体に起こっていることを表現する。確かに、地域によって同じことが別の身振りで示される場合がある（たとえばある地域での「あっちへ行け」の身振りが、別の地域での「こっちへ来い」の身振りに似ている場合がある）。だが、確かに身体の動きは衝動から完全に自由になっているとは言えないだろう。

言語と現前しないもの

ならば、言語を身振りから区別するピカートは、言語を衝動とは全く別の水準にあるものと見なしていることになる。言語はそれを用いている人間の身体で起こっていることから完全に切り離すことができる。ただ、これについてのピカート自身の説明は一見したところ難解である。「それ〔身振り〕に反して、言葉は一つの存在、一つの全一体を表現するのであって、存在の単なる一部分をなすに過ぎない何らかの意志的なものを表現するのではない」（同前）。あるいはこうも言われている。「言葉は徹頭徹尾存在的である」（四九頁）。

いかにも哲学的な単語が並んでいる。これだけではどこか答えをはぐらかされたような気すらしてしまう。だが、冒頭の事例から考えてみればどうだろうか。人間の言葉を理解できないペットたちが陥っていたのは、どういった事態であったか。それは、今は目には見えていない何ごとかを人間と共有できないという事態である。人間がペットに絶対に説明できなかったこととは、今は別れ別れになるが数時間の後には再び会うことができるという、いまここには未だ現前していない出来事に他ならない。

現前しないものと世界

人間にとって言葉が通じるとは、現前していないものを言葉によって理解してもらえるという可能性を指す。身振りは衝動から切り離せないが、言語はそうではないと言う時にピカートが言いたかったのはおそらくこのようなことである。すなわち、言語はその場その時といういまここから切り離されうる。人間の言葉は、見えない部分や見えていない部分、もはや現前していない出来事やいまだ現前していない出来事を伝えることができる。そのような特徴を指して、ピカートは「一つの存在、一つの全一体を表現する」とか「徹頭徹尾存在的である」などと言ったのだった。別の箇所では「要するに言葉は世界なのである」とも言っている（一六頁）。

だからむしろ、「世界」や「存在」を「言葉」の方から理解するべきである。人間にとって世界や存在とは、いまここに現前していないものを巻き込むことで成立している。いまここに見えているものだけでは、人間にとっての世界や存在は構成されない。いまここにないものについても「ある」といいうる時に、人間に対して、世界とか存在といったものが立ち現れる。そしてそれを可能にするのは言語である。人間の言語は、現前していないものが組み込まれた世界や存在を経験することを人間に可能にしている。今の時点では、これが人間以外の動物にも可能であるのかどうかは不明である。ただ少なくとも言えるのは、人間の言語にはそのようなことができるし、これは人間の言語にとって欠くべからざる特徴だということである（こう考えてくると、もしかしたら身振りとの差異によって言語の特徴を際立たせようとしたピカートはややミスリーディングであった感じがしなくもない。なぜならば、音声を使わず、身体的な動きだけで構成される手話も、現前しないものを表現しうるからである。人間の言語において重要なのは、音声を使う言語であるにせよ、音声を使わない言語であるにせよ、それが、現前しないものを表現することで、ピカートの言うところの存在や世界を可能にしているかどうかである）。

言語と約束

もう少し簡単に考えてみてもよい。予定は私たちの世界を構成する本質的な要素である。ある時間に学校に行くと自分が受けるべき授業が始まる。ある時間に駅に行くと自分が乗るべき電車が来る。私たちの世界はこのような予定に満ちている。予定通りにものごとが運ばないときもあるが、概ねそのような予定が実現されているから、私たちは生活することができる。予定は約束という別の事象を思い起こさせる。予定を突き詰めていけば、すべて約束に帰着するかもしれない。学校は生徒にこの時間にこの授業を提供することを約束しているし、駅も同様である。そして言うまでもなく、約束は現前していないことについて結ばれるのである。学校はこれから行われる授業について、駅はこれからやってくる電車について約束している。

ロゴスを持った動物――ハンナ・アレントの考察

エピソードをもう一つ

私たち人間にとっての世界は現前していないものを巻き込むことで成立しており、そして現前していないものは言語によって支えられている。だから言語が共有されていないと、世界も共有されない。最初に言及したペットたちの経験は、人間の世界を共有していないにもかかわらず、人間の世界の掟（ペットが飛行機に乗る場合には貨物室に入れられねばならない）に従わざるを得なかったことから生じた。フライト後の再会という未だ現前していない出来事は、その時のその人間の世界を構成している大切な要素であろうが（愛するペットと再会できるのだから）、ペットにはその世界を共有することができない。

ここまでは人間の言語とそれを共有しない動物たちとの関係を考えてきたが、当然ながら、同じことは人間の言語同士の間でも起こりうる。二つの出来事を紹介しながら考えて見よう。

私は数年前に学会でブラジルを訪れた。学会では英語が話されていたので、私はある程度、自分の考えていることを伝え、他の参加者たちの考えていることを知ることができた。だがちょっとした事件が宿泊先から飛行場にタクシーで向かう際に起きた。一時間以上タクシーに乗らなければならないほど離れた場所にあるその飛行場にむかう途中、運転手は突然、車を止め、首を横に振って、残念そうな顔をした。運転手はポルトガル語以外の言語を全く話すことができず、私はポルトガル語を全く解さない。その時に起こったのは、まさしくピカートが指摘していたことである。運転手のその後の身振りはこのまま飛行場に向かうことはできないことを意味しているように思われた。まさしくそこに現前しているその事実を身振りは伝え得た。しかし、なぜ向かうことができないのかを運転手の身振りは伝えることができなかった。私には全く訳が分からなかったし、いま考えても全く訳が分からない。運転手は謝っているようにも見えたから、何か事情があったに違いない。しかし、その事情はここには現前していない。ここに現前していないものを身振りは説明しえなかった。タクシーを下ろされ、果たして遠方の飛行場に時間までにたどり着けるのかという思いに取り憑かれた私は、貨物室に入れられるペットほどではないにせよ、強い不安に襲われた。

エピソードを更にもう一つ

もう一つは私の友人の経験である。私は修士課程の時、フランスのストラスブールという街に留学した。フランス語能力が十分でなかった私は、最初、ある家庭にホームステイすることにした。その家庭にはもう一人、私より少し年が上の日本人の男性がいた。彼は大変奇妙なことを経験していた。彼はとある事情で、フランス語が全く分からないまま、この地に来ることになったというのである。九〇年代後半の当時、インターネットはまだ十分に普及していなかった。国際電話も高かった。テレビをつけてもラジオをつけてもフランス語しか聞こえてこない。家庭内ではフランス語しか通じない。そんななかで毎日、彼はバスでその家と街中の語学学校を往復していた。「そうするとどうなると思う?」と彼はある時、私に言った。「世界が、家とバス停までの道と語学学校だけになっちゃうんだよ」。ここには言語が果たす機能が非常に凝縮して表現されているように思われる。世界は現前していないものを巻き込む形で成立しており、この現前していないものを支えるのが言語なのだった。つまり彼は非常に奇妙な事情から言語のその機能を人工的に遮断されることで、それまでに生きていた世界を失ってしまったのである。彼はその時、ほんの短い間だったかもしれないが、現前しているものだけが世界であり、世界とは現前しているものの集合であるという奇妙な感覚を生きたわけである。

こうして考えると、一つ一つの言語が日々、大変な努力を重ねて世界というものを維持し続けていることが分かる。これを「言語ごとに世界観がある」と言い換えてしまうと、どこか陳腐になってしまう。言語と言語の間では、世界を共有できないがゆえに、檻に入れられて貨物室に閉じ込められるペットの経験に比するようなことが起こりうるという緊張感が薄れてしまうからである。絶え間ない言語によるやりとりが続けられている結果、そうした事態がかろうじて避けられているのであり、何らかの事情で言語によるやりとりが遮断されるならば、維持されていた世界も容易に崩壊するということが見えなくなってしまうからである。

人間の定義を巡るアレントの指摘

哲学者のハンナ・アレントは「理性的動物」というよく知られた人間の定義について非常に興味深いことを指摘している（『人間の条件』、ちくま学芸文庫、一九九四年、四七―四八頁）。理性的動物は **animal rationale** というラテン語を翻訳したものだが、このラテン語自体が、アリストテレスの **ζῷον λόγον ἔχον**（ゾーオン・ロゴン・エコン）という表現を翻訳したものである。アレントによればこのラテン語訳は――したがって日本語訳も

——誤りである。ゾーオン・ロゴン・エコンは「ロゴスをもった動物」という意味である。ラテン語の訳者は、アリストテレスのこの表現が、人間の最高の能力に注目することで人間を定義したものだと考えて、「ロゴスをもった」の部分を「理性的」という形容詞に翻訳した。

しかし、アリストテレスにはそのような意図は全くなかったとアレントは指摘する。ロゴスには「理性」という意味と「言葉」という意味があるのだが、アリストテレスにとって、人間の最高の能力は言葉で語り合えることではなくて、言葉を使わずにじっと考える能力——νοῦς（ヌース）と言う——にあった。だからこの表現は人間をその最高の能力によって定義したものではない。この表現はもう一つの同じく有名な人間の定義、ζῷον πολιτικόν（ゾーオン・ポリティコン）、すなわち、「ポリス的動物」と並べた時にその意味を明らかにする。人間はポリス的、すなわちポリスと呼ばれる国家の中で生きるべく定められており、しかも国家の中で生きるとは言葉を使って様々にやりとりすることを意味しているというわけである。その証拠に、そのやりとりに入らない人々、「奴隷と野蛮人」は ἄνευ λόγου（アネウ・ログー）、ロゴスなき者たち、つまり言葉なき者たちと呼ばれていたという（なお、アリストテレス本人はゾーオン・ロゴン・エコンという表現を使っていないということがしばしば指摘されるが、『政治学』には次のような一節は確かに存在している。「動物のうちで言葉をもっているのはただ人間だけだからである」(1253a10))。

「野蛮人」

「奴隷と野蛮人(slaves and barbarians)」はアレントからの引用である。ここでは後者に注目しよう。「野蛮人」という言葉は外国人あるいは異民族のことを指している。世界史で学んだ読者も多いと思うが、ギリシア人たちは外国人ないし異民族のことをβάρβαροι(バルバロイ)と呼んだ(音から分かるようにbarbarianの語源である)。確かに辞書でβάρβαρος(バルバロス)を引くと、"not Greek, foreign"と書いてあるのである。外国人や異民族を「野蛮人」と呼んでいてけしからんというのはどこかおかしな評価である。外国人や異民族は自分たちには分からない言葉を話しているから、要するに自分たちにとって彼らはアネウ・ログー、すなわち言葉なき者であり、その言葉なき者を指していたバルバロイという言葉が、後に我々が「野蛮人」という言葉でイメージするような語感を身にまとっていったということである。

言葉が通じないと「野蛮人」に思える。今でも映画では、人を「野蛮人」のように表象する際、言葉が分からないようにするという手法が取られる。スティーブン・スピルバーグの映画『ミュンヘン』（二〇〇五年）では、冒頭、オリンピック村のイスラエル選手団宿舎を襲撃するパレスチナ過激派組織のメンバーたちの言葉に英語字幕がつかない。字幕をつけないのはもちろんわざとである（このような例はいくらでもあげることができる。八〇年代のアメリカ映画では、英語字幕がつかない日本語にもしばしば出くわす）。そう考えると、アネウ・ログーという表現は実に興味深い。言葉を欠いていることが、理性を欠いていることを意味しうるからである。理性というより、言葉のやりとりによって維持され、共有されている集団の原理のようなものだと言ってもよいかもしれない。

外国語と教育

アネウ・ログーについて

外国語を知らないならば人は外国人や異民族を野蛮人扱いするということだろうか。それは言いすぎである。しかし、アネウ・ログーという表現はいろいろなことを考えさせる。この表現は、自分たちの言語を話していない者は、結果として、言語そのものを用いていないも同然であるという判断を前提にしている。つまり、もし外国語というものが存在することを全く知らなかったならば、人は自らの用いている言語を使っていない者に対して、アネウ・ログーという判断を下すこともあり得るということだ。なぜか。現前しないものを、そして約束を前提として成立している、自分たちにとっての世界そのものが、言語によって支えられているからである。アネウ・ログーとは、自分と世界を全く共有しない者、世界の外にいる者、したがって考慮する必要のない何ものかのことだ。このことは、自らの行く末を知ることが出来ぬまま檻に入れられた貨物室に置かれるペットの経験と比しうるほどの出来事が、人間と人間以外の動物との間だけでなく、言語を異にする人間の間でも起こりうることを示している。

外国語を自由自在に使えなくても、外国語が存在していることぐらいは誰でも知っていると思われるかもしれない。だが、外国語が存在していることを知るとはどういうことだろうか。それは自分が自分の言語で自分にとっての世界を維持しているように、自分とは異なる言語を用いている者もその言語を用いて世界を維持していると認識することである。これは案外、高度な認識と言わねばならない。そしてその認識を身につけるためには、ある程度の経験も必要であるように思われる。これを理屈として知っていることとこれを実感することとは別だからである。

だからやはり公教育で外国語を教えることには意味がある。日本では小中学校で英語が教えられているが、その教え方や教え始める年齢の問題はともかく、とにかく何か外国語を教えることが大切である。それは、私たちの言語を話していない者は、結果として、言語そのものを用いていないも同前であると判断してしまわないようになるための教育である。

外国語は存在している

本稿のテーマは「リベラルアーツと外国語」である。本稿は「外国語を学ぶことで自分の世界が広がっていく」というポジティブなことを述べることもできた。筆者自身それを大いに経験した者の一人である。だが、現代においてリベラルアーツを考えるのであれば、何か人間にとって、もともと自明ではないことを身につけていくという点を強調しなければならないだろうと筆者は考えたのである。それは本書の前提となっている『21世紀のリベラルアーツ』(石井洋二郎編、水声社、二〇二〇年)に掲載された拙稿「問いを発する存在――リベラルアーツと哲学の始まり」で、問いを発する存在であること自体は人間にとって自明ではないのであって、答えの出ない問いに付き合うのを止めてしまったら人間はそのような存在であることをやめてしまうだろうと、本稿に同じくアレントに依拠しつつ述べた時に強調していた点である。

外国語が存在しているという認識はもともと自明ではない。だからアネウ・ログーという表現があり得た。だからそれは獲得されなければならない。もちろん、外国語が存在しているという認識を獲得するだけでなく、外国語そのものを習得できるならば、それはなおよい。なぜならば、これまで自分が生きてきた世界や存在とは別の世界や存在を想像するだけでなく、実際に経験することができるようになるからである。本論考では「リベラルアーツ」という概念について全く考察していないが、このような考えをこの概念に含ませても、それほど反論されることはないであろう。

詩という謎語をめぐって
——機械翻訳の時代におけるリベラルアーツとしての言語教育

田中純

詩のもたらす遅延と逡巡

シンポジウム「リベラルアーツと外国語」では小倉紀蔵氏から、ドミニク・ドビルパン仏首相（二〇〇八年当時）の次のような発言が紹介されている——「複言語主義、多極的世界観というのは、もちろん一つの言語に閉じこもっている人を低く見るわけではない。要するに詩が重要なのであって、すべての言語の世界は、詩の世界なのです。文学の詩でなくとも、日常の生活の振る舞いはその言語によってすでに詩的なのです。そして詩的であるということは、多極的であるということです」。ドビルパン氏を国際的に著名にした国連におけるイラク戦争反対の演説と同じ二〇〇三年に、アルチュール・ランボーやアントナン・アルトーを取り上げた『火を盗む者たちを讃えて（*Éloge des voleurs de feu*）』というエッセイ集を刊行している、文人政治家らしい応答だろう（「火を盗む者」という言葉自体、ランボーのいわゆる「見者の手紙」からの引用である）。

言うまでもなく、ドビルパン氏の語る「詩」「詩的」という言葉を日本の文化・社会の文脈に単純に置き換え、ナイーヴに受け取ることはできない。poésie というフランス語は、それがフランスの言説空間で帯びている文化・社会的含意によって、政治的なレトリックとしても十分に機能していることだろう。たとえば、ランボーをパンテオンに祀ることにドビルパン氏が猛然と反対したこと（『ル・モンド』紙、二〇二〇年一〇月三日付の寄稿）もまた、パンテオンで偉人たちを顕彰することによる「国民的統合」とランボーが体現していたような「自由」との関係をめぐる、フランス固有の政治的イデオロギーの布置のなかで評価しなければならない。

言語の違いはこのようにさまざまな解釈の可能性を想定させ、簡潔明瞭で迅速な理解からはほど遠い、遅れと宙吊り状態の不安定さをもたらす。いや、母語のなかにおいてさえ、じつはそうなのだ。しかし、インターネット上のSNSで行き交う言葉は基本的に即時の応答を前提にしており、そのようなコミュニケーションは言葉を理解し発話するために必要だった筈の、遅延と逡巡の時間に対する感覚を奪いつつある。

外国語であるか母語であるかを問わず、そうした遅延と逡巡を強いられる言語の形式が、まさに詩ではなかっただろうか。そして、そのような読解の時間性を修得することのできる言語的媒体であることによって、詩はリベラルアーツと言語の関係を考えるうえで重要な手がかりとなるように思われる。もとより、本稿は本格的な詩論を展開する場ではないので、詩的言語――それは必ずしも詩のかたちを取るとは限らない――とそれがもたらす遅延と逡巡の意義をめぐり、先のシンポジウムによって触発されたテーマに絞って、リベラルアーツ教育との関わりを考察してみたい。

機械翻訳と外国語教育の実用性

質疑応答で出された「現在ＡＩによる自動翻訳が進歩しておりますが、今後ほぼ完璧に多言語間の翻訳をおこなう自動翻訳機が登場したとして、そのときにも外国語を学ぶ意義があるとすれば、それは何であるとお考えでしょうか」という問いに対して、鳥飼玖美子氏は、ＡＩにはコンテクストを読み取ることができないなどの限界があり、現状では機械翻訳を人間が補っている、と指摘する。そのうえで、今後ＡＩができないこと、人間にしかできないことがよりはっきりしてきたときに、外国語教育でいったい何を教えるべきなのかが問われるだろうと言う。ニューラルネットワークの技術が適用され始めてからの機械翻訳の進歩には目を見張るものがあり、わたし自身はＡＩの可能性をもっと大きく見積もっているが、その点を除けば、鳥飼氏の現状認識と展望にとくに異論はない。

しかし、たとえば英語以外の言語（ドイツ語）の初級文法を大学生に教えている立場からすると、初級文法のみの習得でも可能なドイツ語講読の授業をどう位置づけるかといった点で、機械翻訳の精度向上はいままでの前提をはっきりと変えているのではないかと感じている。新聞記事程度であれば、現状でもたとえばDeepLによる翻訳でおおよその内容が十分に理解できてしまう以上、自分で辞書を引き、構文を理解して翻訳するという作業に対する学生のモチヴェーションをどのように引き出せるだろうか。

もちろん、対人的な口頭のコミュニケーション能力を養うといった、機械翻訳の音声出力ではいまだにとうてい迅速に対応できない側面の言語能力育成には重要な意義が残り続けるだろう。しかしこの場合には、そのように或る程度高度な言語能力を実際に使う局面が多くの学生にとっていったいどのくらい存在するのだろうか、という別の疑問が生じる。これは英語でも同様であって、機械翻訳と言語教育の関係を研究するトム・ガリー氏は、従来英語教育には実用・教養・試験という三つの意義があるとされてきたが、近年ではこれらの意義が失われつつあるという認識を示している。ガリー氏はそこで、「社会に出てから英語を使う必要がある日本人はせいぜい一割程度だ」と指摘し、この状況に機械翻訳の存在が加わったことで、英語を学ぶ実用面の意義はさらに薄まったと述べている（インタヴュー「ＡＩ時代における外国語学習の意義とは？」、東大新聞オンライン、二〇二一年七月二四日）。実用性という点で見れば、外国語教育は今後「非効率的」と批判されかねない。

情報の迅速さに抗して

もちろん、この種の非効率性をあげつらうことは言語教育に対する一面的な認識であり、ガリー氏も挙げているように、言語教育が有する教養ないしリベラルアーツとしての意義はかねてから主張されてきた。鳥飼氏が「人間は考えたことを全部そのまま発話するわけではない」と述べ、ＡＩが処理できない要素として指摘している、やんわりとした表現や発言の裏にあるもの、微妙な言葉の違いなどは、言語の問題である以上に高度に文化的な産物であり、それを扱うには語り手と聞き手それぞれが背景とする文化に関する「教養」を必要とするに違いない。ただし、この点でもＡＩはやがて、インプットされた情報の婉曲表現・裏・差異をデータとして反映させたアウトプットを正確に与えることができるようになるかもしれない。いや、それ以前に、人間自身がＡＩに最適化された言語表現を用いるようになれば、言葉の婉曲表現・裏・差異は消え、言語はフラットなコミュニケーション・ツールと化し、それを用いる人間の文化に関する知識・教養などは不要となってしまうことだろう。

言語を用いる営みが「情報」の交換に還元され、その迅速性こそが重視されるかぎり、このような趨勢は押し止めようもないし、ＡＩによる情報処理は「人間にしかできない」と思われていた領域をシミュレートする精度を高め、われわれは機械翻訳をはじめとするＡＩに対する依存をひたすら深めるばかりだろう。それゆえ、言語教育の目的のひとつは、このような依存によって解決される問題とはまったく別の次元に、むしろ、こうした依存そのものが無意味であるような次元に置かれるべきではないだろうか。

それはＡＩによる機械翻訳が瞬時に行なう判断を可能なかぎり逆に遅延させ、結論を出すことを延々と逡巡せざるをえなくさせるような経験への習熟である。そのような習熟を通してのみ培われるような言語との関係性である。そうした関係の重要性をわたしはコロナ禍を通して再認識することになった。どういうことか。

危機の言葉としての謎語

新型コロナウイルス感染症という未曾有の危機に直面したとき、わたしはマスメディアで伝えられる専門家会議や政府の施策、それらへの支持・批判で百家争鳴状態のSNSに溢れかえる「情報」とは異なる言葉を必死に求めていたように思う。あまりにも急激な生活形態の変化ゆえに希薄化している現実感を刷新するようなリアリティのある言葉が欲しかったのである。あてどのない探索のなか、ネット上で或る英語のテクストに出会った。著者はイタリアの思想家であるフランコ・ベラルディ（ビフォ）氏。問題のテクストは都市封鎖下《ロックダウン》のボローニャで書かれた「都市封鎖下の生活（Life in Lockdown）」と題された日記の一部で、「思案する（Thinking about）」と題されていた（原文は https://www.versobooks.com/blogs/4668-life-in-lockdown-franco-bifo-berardi）。

ビフォ氏はこんなふうに書き始めている――

わたしはいささか閾の概念に取り憑かれていて、それをカステリャーノ〔スペイン語〕で考えている。なぜかは分からないが、黙って自分自身に繰り返すのだ、その言葉を――ウンブラル（umbral）と。魅力的で謎めいて、興味をそそるとともに、いくぶん心をかき乱すように、その言葉がわたしの脳裡に繰り返し思い浮かぶ。つねにスペイン語で。

自分でも理由がわからぬまま、ビフォ氏は外国語である「ウンブラル」という言葉を心中で幾度も反復する。それは心かき乱して不安にさせる営みなのだが、彼はそれを止められない。umbralという言葉を内心で呟くとき、ビフォ氏はおそらくumbra-という響きを通じて、「閾」の概念にラテン語のumbraが有する「影・陰・幽霊」の意味を重ねている。そうした意味の多重性を与えられた「ウンブラル」は、すでに老年にある自分に迫り来る死の危機という個人的な「閾」であると同時に、何か新しい時代への「閾」とも見なされたコロナ禍を象徴的に表わす、呪文にも似た言葉になっているのである。

わたしはこの言葉「ウンブラル」に、と言うよりもむしろ、この言葉とビフォ氏が取り結んでいる関係に強いリアリティを感じた。溢れかえる情報とは異質の、言葉を通した一種の「救い」をそこに覚えたと言ってもよい。危機のうちにあってひとを救うのは、こうした呪文にも似た言葉、容易にはその意味も魅力も解き明かしえないような「謎語《めいご》」ではないだろうか。

同じことをわたしは、アルベール・カミュの『ペスト』を読み、そこで主人公の医師ベルナール・リウーがペストと戦う唯一の方法であると語っている、「誠実さ（l'honnêteté）」という言葉にも感じた。『ペスト』でこの l'honnêteté が語られるのは、そのほとんどが五十がらみの官吏ジョゼフ・グランをめぐる記述においてである。グランは志願して保健隊の一員となり、ペスト患者たちの集計と統計を着実にこなす。他方でこの人物は、物語を書こうとして、冒頭の一文だけを執拗に推敲し続け、いつになってもその先に進むことができない。彼はもっとも的確な言葉を探し続けるがゆえに、何も語れなくなってしまうのだが、そうした適切な言葉の探索こそが、グランにとってはもっとも重要なおのれの仕事なのである。グランはリウーの分身であり、なおかつ、作家という存在の戯画として、作者であるカミュ自身の分身でもある。

リウーはグランを「なんらヒーロー的なものをもたぬ」ヒーローであると呼んでいる。それは言葉に対するグランの l'honnêteté、この愚行に近い l'honnêteté のうちにこそ、カミュがペストと戦う唯一の方法を見ていたからではないだろうか。そしてわたしは、コロナ禍の初期、ちょうどビフォが umbral という外国語を執拗に唱えたように、l'honnêteté という言葉それ自体を繰り返し自分に投げかけていた。「誠実さ」という日本語に訳して理解するのではなく、l'honnêteté をひとつの謎語として復唱し再考することによって、危機の時代の支えとなる何かを探し求めていたのである。

謎の終わりなき反芻

わたしが冒頭で詩、詩的言語と呼んだものの核心にはこんな謎語的な要素があるように思う。それは難解な言葉であるとは限らない。日常語で書かれていても、詩には果てしなく反芻することのできる、簡単には消費し尽くされない核のようなものが存在する。いや、詩にかぎらず、われわれの記憶に刻まれた文章やテクストには必ず、表面的な意味だけにはとどまらない、説明しきれないような残余が存在するのではないだろうか。それを「謎語」と呼ぶのは、謎において重要なのはそれが解かれた結果としての答えではなく、謎が謎にとどまるかぎりでの、それを解こうとするプロセスそのものだからである。多くの言語表現が迅速で容易なコミュニケーションの枠内で流通し、外国語の一文はＡＩによって瞬時に母語のそれに置き換えられてしまうのに対して、謎語は言葉それ自体と濃密に触れ合い、言語しかもちえない力に接する過程を繰り返し経験させてくれるのである。

コロナ禍のようにそれまでの知識と経験が通用しない危機下にあって、umbral や l'honnêteté といった謎語はそのような言語経験を通し、現状での自分にとっての定点となるべきリアリティや不透明な将来を待つための耐性をきわめて感覚的・体感的に与えてくれたように思う。そして言語とのそうした関係性はわたしの場合、幾人かの詩人や作家・思想家たちの作品やテクスト、歌のフレーズ、とくにデヴィッド・ボウイの歌った歌詞を繰り返し翻訳や原語で読み、あるいは聴くことを通して育まれてきたものだったと気づく。さらにそれは、今回のシンポジウムの最後で司会の石井洋二郎氏が提起している「可塑的なアイデンティティ」に結びつくリベラルアーツ的な経験だった（その経験の考察として、拙著『デヴィッド・ボウイ――無《ナシング》を歌った男』〔岩波書店〕を参照していただきたい）。

シンポジウム「リベラルアーツと外国語」においてもまた、identity、dignity といった言葉がここで言う謎語のように作用してはいなかっただろうか。identity に自己同一性／正体性／自己正体性といった異なる訳が与えられるとき、そこで重要なのは、コンテクストに応じて最適の訳を当てはめること――それであればＡＩでも早晩可能になることだろう――ではなく、異言語間での意味の揺らぎを通過するプロセスのほうである。それを「謎語」と呼んだからといって、たとえば「尊厳」という言葉を謎のままに放置することを勧めるわけではない。むしろ、「尊厳」概念を dignity や Würde といった言葉との共通性や差異のもとで思想的に解明する営みに終わりはないこと、そうした終わりなき解釈の過程こそが本質的であることを言わんとしているのである。

母語からヴァナキュラーな言語へ

この点と関連し、「複言語主義（Plurilingualism）」の発想から派生する問題に言及しておきたい。イヴァン・イリイチはヨーロッパ中世における「母語」概念の成立経緯を歴史的にたどり、それは「母としての教会」という観念に結びつく出自をもち、この宗教的制度に役立つように人びとが日常的に使用する言語を道具化したものだった、と指摘している（『シャドウ・ワーク――生活のあり方を問う』、玉野井芳郎・栗原彬訳、岩波現代文庫）。「母語」には或る特定の言語との血縁に似た変更しがたい結びつきという観念が伴っている。それゆえ、イリイチは「母語」に代えて、「ヴァナキュラーな言語」という観点を導入する。英語の「ヴァナキュラー（vernacular）」とは、ラテン語の vernaculus に由来し、「土着の、現地産の、自生の」といった意味をもつ。ローマの文人政治家ウァロは vernaculus の語を言語について用いた。彼にとってヴァナキュラーな話し言葉とは、話し手自身の土地で育まれた言葉とパターンからなるものだった。このウァロの用法にもとづいて、英語でも vernacular はおもに言語について使われてきた。カトリック教会の公用語だったラテン語や共通語《リンガ・フランカ》に対して、ヴァナキュラーな、「土着で自生の言語」としての各地域の「俗語」が存在していた。イリイチはさらに、ヴァナキュラーな言語の特性を、制度的に教育されたものではない点に求めている。

　イリイチによれば、個人が複数のヴァナキュラーな言語を異なる局面に応じて使用する状況は十分ありうることであり、たとえばコロンブスはそうした言語使用者だった。コロンブスはもともとイタリアのジェノヴァ出身の織物商人であり、ジェノヴァ語を喋っていた。彼は粗野で風変わりな表現ではあれ、ラテン語で商業文を書くことができた。ポルトガルの女性と結婚し、ポルトガル語を話したが、一語も書くことはなかった。彼はいつも、ポルトガル語の入り交じった癖のある文体でスペイン語を書いたという。それはカスティリア語ではなく、イベリア半島のいたるところで習い覚えた簡潔な表現に富んでいた。このような言語使用は同時代においてけっして特殊なものではなかった。

　境界が明確に定められた複数の「母語」が地域ごとに存在するという前提から出発するのではなく、視点を変えて、このコロンブスの例が示すように、複数言語のヴァナキュラーな使用をモデルにした「複言語主義」の展望は描けないだろうか。事後的に整序された文法体系とは異なり、自生的なヴァナキュラー言語はそれ自体として自律的に閉鎖的体系をなして存在しているわけではない。フェルディナン・ド・ソシュールは「一般言語学」講義でこう述べている――「私たちは確かに方言的特徴の境界は引けるが、方言の境界は決して引けない。それこそが言語学の重大なパラドクスである。方言的特徴はあるが、方言はない」（引用は互盛央『フェルディナン・ド・ソシュール――〈言語学〉の孤独、「一般言語学」の夢』作品社、四二六頁に拠る）。

たとえば或る国土の両端でもはや理解し合えない言語が使われているとしても、その国土の端から端へ進みながら、毎日自分の方言を調整する旅人は、その道程でわずかな変化にしか出会わず、理解できない言語を見出すことなく移動するだろう、とソシュールは言う。これが方言に限定された事態でないのは明らかだ。同じ理由で、言語に境界を引くことはできない。日本語やフランス語、英語、あるいはどんなヴァナキュラーな言語であれ、語るという行為、そして「語る主体」の意識においては、いずれも境界をもたない。

言語の多様性を支える連続性

互盛央氏はソシュールが「一般言語学」講義で追求したのは、人間の外部にある自律的な対象としての「言語」という通念を打ち砕くことであるとし、ソシュール自身の構想した言語学は、「語る主体」の意識に即すことで、言語を劃定する境界をもはやもたない、変化しながら連続する「一《いち》」なる言語へと向かっていた、と指摘している。それは「国語」という幻想を解体した果ての、「民族不在のヨーロッパ」の可能性を描き出す営みだった。

互氏の著書を通じてソシュールのこの言語観を知ったとき、わたしは大きな解放感を味わった。境界をもたずに連続した「一」なる言語のうちにあるという認識が、日本語で思考し書くことに限界があるという意識に悩まされる、「母語」という概念による束縛感から解き放ってくれたのである。ソシュールが古代ラテン詩人のアナグラムや霊媒の語る「インド語」「火星語」といった異言にまで関心を示した理由も、彼のこうした言語観や「語る主体」という発想から理解できる。互氏によれば、ソシュールの考える「語る主体」の「半無意識」のうちで進行する類推的創造や心的連合が「一」なる言語を生み出しているのであり、その表われはアナグラムや異言のなかにも確認できるのである。

もちろん、たとえばユーラシア大陸の両端のさらに外にある日本語とゲール語の話者はただちには理解し合えないだろう。しかし、その差異を連続した推移のうちにある変化ととらえる視点は、複数言語習得のパースペクティヴを変えるのではないか。コロンブスの言語使用はそうした推移的差異によって連続した同系統諸語の使い分けである。ひとと情報の交通がグローバル化した現在、こうした複数言語使用の範囲をAIの助けも借りて拡張し、「一」なる言語のヴィジョンとそれに即した他（多）言語使用の実践を切り開くことは、リベラルアーツとしての言語教育のひとつの可能性ともなりうるのではないだろうか。それは複数言語のヴァナキュラーな使用方法を開拓するという試みである。そして、こうしたヴァナキュラーな多様性を支える連続性は、空間的なものにとどまらず、時間的なものでもあることは言うまでもない。

創造の源泉へと向けて

ただし、こうした遠心的な運動は「一」なる言語の核心へと向かう求心的な運動と対にならなければならない。それが「詩」や「謎語」に関わってくる。ソシュールが「一」なる言語の根源と見なした類推的創造や心的連合は、詩を生み出し、謎語の「謎」を形成する心的作用だからである。アナグラムや「インド語」「火星語」はソシュールにとっての謎語だったのだ。謎に魅せられ、それをめぐる考察を繰り返すことで、類推的創造や心的連合のメカニズムに触れるプロセスが、言語経験を真の意味で創造的にする。なぜなら類推的創造や心的連合は文学のみならず芸術全般に亘る創造活動や日常生活における創意工夫の源泉だからである。この源泉へと向かう求心的な運動を欠いた複数言語使用の追求は、効率を至上価値とする実用性の次元にとどまってしまいかねない。

詩はもっとも内密な言語表現であるかのように見えて、謎語であるがゆえに、指針なき時代の指針になりうる。それは詩が社会的紐帯の要をなす「言語」なるものの本質を露わにする表現形式だからであろう。その意味で詩は、根源的な次元で政治的であり、パブリックなのだ。ＳＮＳが詩的内密性を欠いた言語が高速で流通する擬似「公論」の場となっている現在、外国語教育をその一部とする言語教育は一種の政治教育でもある。中部大学に設置された「創造的リベラルアーツセンター」が、言語教育においても「創造性」を発揮し、新しい公論形成に寄与するリベラルアーツのあり方を提起することを期待している。

倫理としての想像力――「あとがき」に代えて

本来であれば、最後に総括的な文章を書いて本書をしかるべく締めくくるのが編者としての務めでしょう。けれどもシンポジウムから半年を経て、あらためて当日のやりとり全体を読み返してみると、語られるべきことがらはすべてパネリスト自身によって明快に、かつ過不足なく語られており、そこに何らかのコメントを付け加えることは僭越であるばかりか、まったく不要であると思うに至りました。そこで私としては、三人の皆さんの発表によって提起されたいくつかの論点を繋ぎながら、雑駁な感想めいたことを述べることで務めを果たしたいと思います。

飛翔と重力

鳥飼玖美子さんは発表の冒頭で、「リベラルアーツが人を自由にするための学びであるならば、それを可能にするのが言語なのです」と明言され、映画『博士と狂人』に出てくる「人間は言葉によって飛翔する」というフレーズを紹介なさいました。これは本当に至言だと思います。

そう、言葉は人間を自由に飛翔させるためにある。私たちは言葉を学び、言葉を使うことで、知識を増やし、経験を積み、思考を深め、視野を広げ、自らをさまざまな限界から解放することができる。リベラルアーツとしての外国語を学ぶことの歓びも意義も、これに尽きると言っていいでしょう。

ただし自由に飛翔するということは、けっして無制限の恣意に身をまかせることではないということを、まず確認しておかなければなりません。私はシンポジウム冒頭の趣旨説明で、外国語の習得にはさまざまな違和感や抵抗感が伴うことに言及しながら、「重力があるからこそ鳥は空を飛ぶことができる」という言葉を引きました。重力というのは、普通は飛び立つことを妨げるもの、存在を地表に繋ぎとめるものを指すわけですが、そうした困難や不自由さがじつはそれ自体、飛行を持続するためには不可欠の条件でもある――この逆説は、本書のテーマを考える上でひとつの鍵になるような気がします。

無重力の空間に鳥を放つとどうなるでしょうか。おそらくは闇雲に羽ばたいて、糸が切れた凧のようにどこまでも上昇していくことでしょう。鳥が自分の体を空中に保持して飛行し続けるためには、重力という軛《くびき》がなければならない。逆に言えば重力があるからこそ、鳥は自由に空を駆け巡ることができる。

言葉もこれと同じです。守るべき文法規則の体系や慣用表現の蓄積という制約があるからこそ、私たちはこれを利用しながら無数の新たな表現を自在に生み出すことが可能になるのであって、そうでなければ、ただ意味不明の叫びや理解不能なつぶやきを発することしかできないにちがいありません。

社会的存在としての人間

ところで、私が翻訳紹介に携わったことのあるフランスの社会学者、ピエール・ブルデューも、「重力の法則があるからこそ人は飛べるのだ」という意味のことを何度か口にしていました。彼の場合は、趣味と階級の関係を論じた『ディスタンクシオン』の分析がけつきょくのところ社会的決定論ではないかという批判にたいして、人間の精神構造を規定する経済的・文化的諸条件のことを「重力」に見立てて反論したわけですが、私はブルデューとは少し異なる文脈で、「社会的存在としての人間」という観点をここで導入してみたいと思います。

社会的存在であるとはどういうことでしょうか。ひとことで言えば、他者と共存しているということにほかなりません。ではこの前提を踏まえた上で、母語であれ外国語であれ、とにかく言葉を用いて他者に何らかの働きかけをする場合、私たちはいったい何を「重力」として想定すればいいのでしょうか。

この問いにたいしてはいろいろな答えがありうると思いますが、私が漠然と思い浮かべている回答は、「倫理としての想像力」というものです。

倫理などというといかにも押しつけがましい印象を受けるかもしれませんが、私が言いたいのは、別にそんなに大げさなことではありません。ごく単純に、表現行為をおこなうにあたっても、態度表明をするにあたっても、自分とは異なることを考え、異なることを信じ、異なる環境で生きている人々にたいして常に思いを致しながら言葉を口にする謙虚さ、といった程度の、ごくあたりまえのことです。

これは鳥飼さんのおっしゃる「異質性との対話」という理念と呼応するものであり、さらには小倉紀蔵さんが「尊厳」という言葉で提起された観点、そしてロバートキャンベルさんが public humanities という表現で語られたことがらとも、(完全に同じではないにせよ）深いところで響き合うものではないかと思います。

つまり、三人のパネリストの方々はそれぞれ独自の表現を用いて、また別々のスタイルで、じつは本質的に同じことを語ってくださったのではないでしょうか。というのも、皆さんは他者理解の困難さをじゅうぶん認識した上でこれと真摯に向き合い、過去・現在・未来を含めてかならずしも容易に意思疎通ができるわけではない人々とのあいだに想像力という橋を架け、相手の言葉を正面から受けとめながら自らの言葉を紡ぎ出すという倫理的な姿勢において、基本的に一致しているように思われるからです。

「正しさ」という病

じっさい社会的存在としての人間は、遵守すべきモラルや規範という重力に縛られているからこそ自由に意見を述べたり率直に思いを語ったりすることができるのであって、そうでなければ、ただ言いたいことを勝手に言い散らかすだけの無節操な放縦に堕してしまいます。異なるものへの想像力を欠いた言葉は、それこそ無重力空間に放たれた鳥のように歯止めを失って暴走し、場合によっては他者の尊厳を侵害する凶器にもなりかねません。言うまでもなく、これは公共性に開かれてあることを前提とするリベラルアーツの理念とはおよそ相容れない振る舞いです。

昨今はネットにあふれる誹謗中傷のたぐいがしばしば話題になりますが、他人の痛みを顧みない無神経な言葉がパソコンやスマートフォンの画面をわがもの顔に飛び交う現状を目にするたびに、抑えようのない苛立ちを覚えるのは私だけではないでしょう。本来は情報の真偽や信憑性を最も慎重に吟味しなければならないはずの「学者」と呼ばれる人たちの中にさえ、基本的な事実確認もせずに無根拠な憶測や浅薄な曲解をまき散らして恥じない例が散見されるのですから、状況は思った以上に深刻です。

そうした人たちの体内には、おそらく「正しさ」という病が巣食っているのではないでしょうか。

これはけっして他人ごとではありません。特定のイデオロギーに染めあげられた主義主張を唯一絶対の正義として措定してしまった瞬間、私たちは誰もが「もしかすると自分のほうが間違っているのかもしれない」と客観的に振り返ってみるだけのバランス感覚を失い、「自分は絶対に正しい」という確信から一歩も踏み出すことができないまま、「間違っている」他者を一方的に断罪しかねない危うさを抱えているからです。自らの言葉を適切な高度に保ちながら安定飛行を続けることは、それだけ困難な、大きな負荷を伴う営みであるということでしょう。

伝統的なジャーナリズムの世界であれば、自己相対化の視点を欠いた主張は遅かれ早かれ厳しい批判にさらされ、自然に矯正されたり淘汰されたりしていくはずです。けれども時間をかけて冷静な意見交換や論争を熟成させることのできない一部のSNSは、残念ながらそうした調整機能を備えておらず、刹那的な片言隻句が跳梁跋扈する一種の無政府空間と化している感があります。

広汎な情報共有のツールとして計り知れない利便性をもたらしたインターネットが、時には小さな声を結集させて社会変革を引き起こすほどの大きな力になりうることもある反面、ややもすると何らかの大義名分のもとに糾合した仲間うちの安易な「目くばせ」や「うなずきあい」を助長し、脊髄反射的な共感と反感の分極化を加速させていく——ネットという装置にこうした正と負の両面が背中合わせに共存していることは、いまや誰の目にも明らかな事実なのではないでしょうか。

局所的な対立や分断が連鎖的に増殖していけば、やがては言論空間全体に不毛な非難攻撃の応酬が蔓延し、本来成立すべき対話への回路が閉ざされてしまいます。これはやはり憂慮すべき事態と言わなければなりません。だからこそ、私たちは何を語るにあたっても、他者への敬意に裏付けられた健全で強靭な想像力を、すなわち自らの言葉を倫理の地平に繋ぎとめる「重力」を保持しなければならないと思うのです。小倉さんが発表の中で語られた「リベラルアーツは、正義や正しさではなく、「尊厳（dignity）」と結びつくべき」という主張を、私はそのようなメッセージとして受けとめました。

「悪意のなさ」という陥穽

キャンベルさんが「共感」と「寛容」という言葉にたいして表明された違和感も、この問題と密接に関連しているように思います。キャンベルさんは「寛容」という日本語について、「相手に落ち度があり、罪過があるけれども、その罪過をとがめだてせず、大目に見て許すという意味がある」ことを的確に指摘されました。

確かにこの言葉はしばしば、マジョリティの立場にある「正しい」人々が、マイノリティの立場にある「正しくない」人々の存在を寛大にも許容する、というニュアンスで用いられがちです。別にあなたたちを社会から排除しようというのではない、あなたたちの存在もちゃんと認めようと言っているのだからいいではないか、それなのにいったい何が気に入らないのか、というのは高みから相手を見下ろす典型的な「強者の論理」ですが、これは男女間、人種間、職業間など、さまざまな局面で形を少しずつ変えながら、いたるところで再生産されています（ちなみに研究者の世界でも、いわゆる理系と文系の間に同じ構造が見られるように感じることが時々あります）。

この問題が厄介なのは、多くの場合この言葉を口にする人々の側には、自分がマジョリティの側に属しているがゆえに優越的な立場にあるという自覚がほとんどないということです。キャンベルさんが言及された性的マイノリティにたいする社会の認識にも、たぶん同様の尊大な鈍感さがひそんでいるのではないでしょうか。

日本でもここ数年、ＬＧＢＴの認知度が急速に増してきたように思われますが、にもかかわらず、あるいはそれだけになおのこと、この問題をめぐるオフィシャルな言説につきまとう「不遜な善意」も目立つようになってきたような気がします。これは一見するとネットにおける露骨な誹謗中傷とは真逆の姿勢に見えますが、じつは同じ心理的機制の裏返しにすぎません。いや、もしかすると明白な悪意が存在しないぶん、もっと始末が悪いと言うべきでしょうか。

こうした悪意のなさこそが、ともすると差別的構造の固定化に加担しかねないという陥穽にたいしては、いくら敏感であってもありすぎることはないでしょう。見せかけの包摂は事実としての排除を隠蔽し、多数者の正義をひそかに延命させてしまいます。上から目線の善意の押しつけではなく、文字通りに対等な立場で多様性を認め合うとはいったいどのようなことなのか、そしてそれはどうすれば可能になるのかということを考えるためには、まず私たちが何の気なしに口にしがちな「共感」や「寛容」といった言葉にたいする繊細な感性を研ぎ澄ます必要がありそうです。

異文化コミュニケーション研究の立場から「相手の身になることが難しいのならば、せめて互いの差異を許容し合いましょう」という意味でこれらの言葉を説明なさった鳥飼さんの応答、尊厳を関係性の概念ととらえて〈あいだ〉の発見にリベラルアーツの本質を見る小倉さんの主張、そして「正義を見つけることと存在の尊厳を見つけることの間には、一つの橋渡し、あるいは桟橋のようなものがある」というキャンベルさんの議論は、それぞれの立場からこの問題にたいする有益な指針を示してくれるように思いました。

多様性のパラドクス

ただし多様性を相互に認め合うという倫理も、それ自体が反論を許容しないひとつの「正しさ」として主張されるとき、ある種の権力性を帯びてしまうというパラドクスを内包していないわけではありません。「多様性を認めなければならない」という言い方が、

「多様性はかならずしも必要ではない」という少数意見を抑圧することによって成り立つのである以上、それ自体が多様性を否定してしまう結果になりかねないという論理的な矛盾はどうすれば克服できるのか。「すべてのクレタ人は嘘つきである」という有名な命題にも似て、これはなかなかの難問です。

この点に関しては、小倉さんが紹介されたドビルパン氏の言葉、「すべての言語の世界は、詩の世界なのです。(……)そして詩的であるということは、多極的であるということです」という言葉が、もしかすると何らかのヒントになるかもしれません。

複数の言語が話せるということが重要なのではない、ただひとつの言語しか話せなくてもかまわない、なぜならどんな言語にも必ず「詩」が宿っているのであり、これを介して多極性・多様性へと開かれていく契機が秘められているのだから——この指摘は、多様性というものがかならずしも複数性の中にあるのではなく、単数性の中にもありうるということ、あるいはより正確にいえば、数とは無関係に、あらゆる言語に内在する普遍的な本質(ドビルパン氏はこれを「詩」と呼んだのだと私は解釈しています)として立ち現れうるものであるということを示唆しているという意味で、本書のテーマとも期せずして通底しているように思います。

ともあれ、三人のパネリストの方々の発表と討論は、いくつかのキーワードをめぐってたがいに接近したり交差したり、衝突したり結合したりしながら絶妙に絡み合い、きわめてスリリングな展開を示してくれました。このような対話が可能になったのは、皆さんがいかなる偏狭な思い込みからも解き放たれたリベラルアーツ精神の持ち主であることはもちろんですが、それと同時に、いささか我田引水気味の言い方をさせていただければ、自らの言葉を他者に手渡すにあたって欠かすことのできない「倫理としての想像力」を全員が共有していたことが、やはり大きな理由だったのではないでしょうか。

私はシンポジウムで、「想像力とは自己の限界を越えて他者とつながるための能力である」という意味のことを申し上げましたが、今回の討議ほど、そのことを深く実感させられたことはありませんでした。

視聴参加者のコメント

以上、とりとめのない感想を書き連ねましたが、本シンポジウムにたいしては、当日のオンライン視聴参加者の皆さんからも四〇件を超えるコメントをいただきました。やや手前味噌になるかもしれないことをお断りした上で、その中から三つだけご紹介しておきたいと思います（内二件は匿名でしたので、ご本人の許可を得ないまま掲載させていただきますが、読者の中に心当たりの方がいらっしゃいましたら、どうぞご了解ください。また、もう一件はご本人の許可を頂戴した上で、他の二件にあわせて匿名で掲載させていただきます)。

本日は、拝聴させていただきありがとうございました。これまでに遠隔で参加(視聴)した公開のZoom会合、シンポジウムなどの中でも、群を抜いて聞きごたえがあり、勉強となる内容のお話を伺えて、有意義な時間を過ごすことができました。今の時代、大学において、様々な専門教育も重要ですが、社会、国全体として必要であるのは、個々の人々や存在を繋ぐ、あるいは、それらの個人や個体の新たな分節化を行う、リベラルアーツ教育であると考えております。この意味で、今回のシンポジウムそのものが、文字通り、「創造的」なものが呈示されていた、という感想を持ちました。

聞き応えのある素晴らしいシンポジウムでした。鳥飼先生の複言語主義、日本における英語(外国語)教育の現状への指摘、「何のために外国語を学ぶのか」という視点を、外国語教育に携わるものとして興味深く拝聴しました。小倉先生の「尊厳」

「いのち」の話に視野を広げられ、また「リベラルアーツは正義を見つけるためのものではない」という基本的な姿勢を改めて確認できました。キャンベル先生の空間だけではなく時間をも取り込んだ視点も興味深かったです。センター長がそれぞれの講演をうまく繋げて話してくださり、三者の関係性等を理解しやすかったです。最後にセンター長の「やわらかいアイデンティティ」という言葉が、非常に印象的でした。この続きをぜひ聞きたいです。続編を心より期待しております。

ご専門を踏まえて、独自の視点からお話しくださった三人のパネリストのお話の内容がそれぞれ興味深いものであったことに加え、今回のシンポジウムの場に会することで、それらがある種の化学変化を起こし、おそらく予定されていたであろう枠を超えて議論が深まってゆくのを目の当たりにすることができ、密度の濃い時間を過ごすことができました。表層的にとらえれば、そこで思考停止してしまうような、「正義」、「共感」、「尊厳」、「寛容」といった、抗いようのない「正」の価値を担っているような言葉ひとつひとつでさえ、その定義を問い直すことが、いかに思考を深めてくれるものであるのか、言葉のもつ奥深さにあらためて考えをめぐらせています。

このようにさまざまな思索を誘うきっかけとしてシンポジウムを受けとめていただいたのだとすれば、まことに主催者冥利に尽きると言うほかありません。全部をご紹介できないのは残念ですが、他にも多くの方々からいろいろなご感想やご意見をお寄せいただきました。画面を通して文字通りその場に「参加」してくださったすべてのオンライン視聴者の皆様方に、心より御礼申し上げます。

最後に、本書にそれぞれの視点からユニークなエッセイを寄稿して下さった九名の執筆者の皆さんに感謝申し上げたいと思います。一編一編に触れる余裕はありませんが、いずれもシンポジウムのテーマを踏まえながらそれぞれ独自の広がりを見せる文章ばかりで、本書に豊かなふくらみを与えていただきましたし、私自身も大いに啓発されました。

また、前著『21世紀のリベラルアーツ』に引き続いて水声社編集部の井戸亮さんには構想段階から相談に乗っていただき、全体の構成から細部にわたる原稿の点検・調整まで、全面的にお世話になりました。この場を借りて御礼申し上げます。

二〇二一年一二月

石井洋二郎

編者・執筆者について――

石井洋二郎（いしいようじろう）　中部大学教授・東京大学名誉教授（フランス文学・思想）。著書に、『ロートレアモン　越境と創造』（筑摩書房、二〇〇九年、芸術選奨文部科学大臣賞）、編著に、『21世紀のリベラルアーツ』（水声社、二〇二〇年）、訳書に、ブルデュー『ディスタンクシオン』（藤原書店、一九九一年、渋沢・クローデル賞）などがある。

＊

鳥飼玖美子（とりかいくみこ）　立教大学名誉教授・中京大学客員教授（英語教育学・異文化コミュニケーション学）。著書に、『10代と語る英語教育』（ちくまプリマー新書、二〇二〇年）、『異文化コミュニケーション学』（岩波新書、二〇二一年）など。

小倉紀蔵（おぐらきぞう）　京都大学大学院教授（東アジア哲学）。著書に、『心で知る、韓国』（岩波現代文庫、二〇一二年）、『韓国の行動原理』（PHP新書、二〇二一年）など。

ロバート キャンベル（Robert Campbell）　早稲田大学特命教授・東京大学名誉教授（日本文学）。編著に、『東京百年物語』（岩波文庫、二〇一六年）、『日本古典と感染症』（角川ソフィア文庫、二〇二一年）など。

阿部公彦（あべまさひこ）　東京大学大学院教授（英米・英語圏文学）。著書に、『文学を〈凝視〉する』（岩波書店、二〇一二年、サントリー学芸賞）、『病んだ言葉　癒す言葉　生きる言葉』（青土社、二〇二一年）など。

佐藤嘉倫（さとうよしみち）　東北大学大学院教授・京都先端科学大学教授（社会学）。著書に、『ワードマップ　ゲーム理論』（新曜社、二〇〇八年）、編著に『ソーシャル・キャピタルと社会』（ミネルヴァ書房、二〇一八年）など。

大野博人（おおのひろひと）　ジャーナリスト。元朝日新聞ヨーロッパ総局長。著書に、『民主主義って本当に最良のルールなのか、世界をまわって考えた』（共著、東洋経済新報社、二〇一四年）、『パンデミック以後』（共著、朝日新書、二〇二一年）など。

藤垣裕子（ふじがきゆうこ）　東京大学大学院教授（科学技術社会論）。著書に、『専門知と公共性』（東京大学出版会、二〇〇三年）、『21世紀のリベラルアーツ』（共著、水声社、二〇二〇年）など。

鈴木順子（すずきじゅんこ）　中部大学准教授（フランス語圏思想・文学）。著書に、『シモーヌ・ヴェイユ「犠牲」の思想』（藤原書店、二〇一二年）、『別冊水声通信　シモーヌ・ヴェイユ』（共著、水声社、二〇一七年）など。

細田衛士（ほそだえいじ）　中部大学教授・慶應義塾大学名誉教授（環境経済学）。著書に、『グッズとバッズの経済学』（東洋経済新報社、一九九九年）、『環境と経済の文明史』（NTT出版、二〇一二年）など。

坂井修一（さかいしゅういち）　歌人・東京大学大学院教授（情報理工学）。著書に、『ITが守る、ITを守る』（NHK出版、二〇一二年）、『森鷗外の百首』（ふらんす堂、二〇二一年）など。

國分功一郎（こくぶんこういちろう）　東京大学大学院教授（哲学）。著書に、『中動態の世界』（医学書院、二〇一七年、小林秀雄賞）、『21世紀のリベラルアーツ』（共著、水声社、二〇二〇年）など。

田中純（たなかじゅん）　東京大学大学院教授（思想史・表象文化論）。著書に、『アビ・ヴァールブルク記憶の迷宮』（青土社、新装版二〇一一年、サントリー学芸賞）、『デヴィッド・ボウイ』（岩波書店、二〇二一年）など。

リベラルアーツと外国語

二〇二二年二月二〇日第一版第一刷印刷　二〇二二年三月一〇日第一版第一刷発行

編者――石井洋二郎

装幀者――滝澤和子

発行者――鈴木宏

発行所――株式会社水声社

東京都文京区小石川二―七―五　郵便番号一一二―〇〇〇二

電話〇三―三八一八―六〇四〇　FAX〇三―三八一八―二四三七

［**編集部**］横浜市港北区新吉田東一―七七―一七　郵便番号二二三―〇〇五八

電話〇四五―七一七―五三五六　FAX〇四五―七一七―五三五七

郵便振替〇〇一八〇―四―六五四一〇〇

URL : http://www.suiseisha.net

印刷・製本――精興社

ISBN978-4-8010-0626-3

【水声社の本】

21世紀のリベラルアーツ

石井洋二郎編　執筆＝藤垣裕子・國分功一郎・隠岐さや香

「何を学ぶか」から、「学ぶ態度」の養成へ――。

複雑化する社会に対応するためのベースとなる〈考え・学び・対話する〉ことの必要性を改めて問い直し、リベラルアーツ教育が向かう先を現場から模索する。

各論者による提言に加え、シンポジウムと対談を通して考える。

四六判並製二四六頁　定価二五〇〇円＋税